AR

Merch
o Dan Ddaear

Morris Gleitzman

Addasiad Elin Meek

Gomer

I bob Jamal a Bibi

Cyhoeddwyd yn Awstralia yn 2004
gan Penguin Group (Australia) dan y teitl *Girl Underground*
Swyddfa Cofrestredig Penguin Books Ltd:
80 Strand, London WC2 0RIL, England

ⓟ Creative Input Pty Ltd, 2004 ©
ⓟ y testun Cymraeg: Gwasg Gomer, 2008 ©

Cyhoeddwyd yn 2008 gan
Wasg Gomer, Llandysul, Ceredigion, SA44 4JL
www.gomer.co.uk

ISBN 978 1 84323 842 3

Noddwyd gan Lywodraeth Cynulliad Cymru.

Argraffwyd a rhwymwyd yng Nghymru gan
Wasg Gomer, Llandysul, Ceredigion.

1

Dylwn gael fy arestio am wneud hyn.

Mae hi tua 4.17 y prynhawn a dw i'n mynd i gyfeiriad y dwyrain ar hyd coridor yn un o ysgolion preswyl gorau Awstralia.

'Edrych ar y llawr 'ma,' medd Mam. 'Marmor go iawn.'

'Paneli wal o dderi yw'r rhain,' medd Dad. 'Pren go iawn.'

'Siandelïers o bres solet,' medd Wncwl Grub, a'i siaced ledr yn gwichian wrth iddo edrych i fyny. 'Trueni na ddes i â'r fan.'

Dw i'n gwybod y dylwn i fod wrth fy modd, fel nhw.

Trueni nad ydw i.

Ond pryder yw'r unig beth dw i'n teimlo.

Rydyn ni'n cerdded heibio i seldau enfawr a ffiolau porslen gwerthfawr tu hwnt arnyn nhw. Rydyn ni'n syllu i fyny ar y paentiadau olew o bobl hanesyddol enwog a aeth i'r ysgol hon.

'Ti fydd hwnna, Bridget,' medd Dad, gan bwyntio at Brif Weinidog wedi marw.

Dw i'n gwybod y dylwn i fod yn ddiolchgar.

Mae Mam a Dad wedi gweithio'n hynod galed er mwyn fy anfon i'r ysgol hon. Dylwn deimlo'n lwcus ac yn freintiedig, fel dwedodd y pennaeth nawr pan oedd e'n dangos yr ysgol i ni.

Mae'n wael 'mod i'n methu teimlo'n ddiolchgar.

Ond dw i ddim yn teimlo'n ddiolchgar. Dw i bron â dychryn yn lân.

Dw i'n ofni y bydd Wncwl Grub yn dwyn un o'r ffiolau.

Dw i'n edrych i fyny ac i lawr y coridor. Dim camerâu diogelwch. Dim larymau lladron is-goch. Mae peiriant llungopïo draw fan 'na sydd heb ei gadwyno i'r wal, hyd yn oed. Mae'r lle 'ma'n gofyn amdani.

Mae Wncwl Grub yn rhedeg ei law yn ysgafn dros ffiol.

'Llestr anhygoel,' medd ef.

'George,' medd Mam o dan ei hanadl. 'Bihafia.'

Dw i'n deall beth mae hi'n ddweud. Mae hi'n rhybuddio Wncwl Grub, os bydd e'n bachu unrhyw beth a rhywun yn ei weld a'r heddlu wedyn yn gyrru'n wyllt ar ein holau ni ar draws tir yr ysgol a'm haddysg i'n dioddef o achos hynny, fe fydd hi'n ei flingo fe.

'Awgrym bach, Grub,' medd Dad. 'Os ei di i dwymo'r car i ni, fydd dim byd i'th demtio di, iawn?'

'Dim ond edrych ro'n i,' medd Wncwl Grub o dan ei anadl.

Dyw'r olwg ar wyneb Dad ddim yn newid.

Efallai mai troseddwr yw Dad, ond dyw e ddim yn credu mewn dwyn.

Dw i'n teimlo ychydig yn well achos bod Mam a Dad yn cadw llygad. Dw i'n tynnu anadl ddofn a cheisio pwyllo. Mae cael dy anfon i ysgol breswyl yn gwneud i ti fod ar bigau'r drain.

Mae Wncwl Grub yn rhoi cusan fach ar fy mhen.

'Gweithia'n galed, blodyn,' medd ef. 'Dangos i blant y crach pa mor dda wyt ti.'

I ffwrdd ag ef am y maes parcio.

'Diolch, Wncwl Grub,' meddaf i.

Does dim eisiau mynd i banig.

Ddim eto.

'Fe fyddwn *i* wedi hoffi mynd i ysgol fel hon,' medd Dad. 'Fe fyddwn i'n berson gwahanol taswn i wedi.'

Mae Mam yn rhoi cusan ar ei foch. Mae hi'n edrych yn bert iawn yn ei ffrog newydd, yn enwedig gyda'i gwallt wedi'i gyrlio a'r llewys yn cuddio'i thatŵs.

'Dw i'n dy garu di fel rwyt ti,' medd hi wrth Dad wrth i ni gamu allan i'r heulwen. Mae hi o ddifri hefyd, er bod Dad yn gwisgo crys melyn gyda siwt las.

Mae Dad yn pinsio pen-ôl Mam ac mae'r ddau'n chwerthin.

Dw i'n edrych yn bryderus o gwmpas tir yr ysgol. Mae plant eraill a'u rhieni'n cerdded o gwmpas. Mae'r rhan fwyaf yn gwisgo dillad tennis a'u siwmperi'n gwlwm am eu hysgwyddau.

Does dim un ohonyn nhw'n edrych arnom.

Ddim eto.

Dw i'n syllu draw tua'r maes parcio, gan geisio gweld a ydy Wncwl Grub yn mynd i mewn i'n car ni neu i gar rhywun arall.

'Edrych ar hwn,' medd Dad yn falch, gan roi ei law ar wal un o'r hen adeiladau. 'Tywodfaen go iawn.'

Yn sydyn dw i'n methu dal fy nhafod. Dw i'n casáu rhoi'r ffidl yn y to, yn enwedig ar fy niwrnod cyntaf, ond dw i'n methu peidio.

'Dw i ddim eisiau mynd i'r ysgol hon,' meddaf yn dawel.

Mae Mam a Dad yn syllu arnaf, wedi'u synnu. Wedyn mae Mam yn rhoi cwtsh i mi.

'Dw i'n gwybod, cariad,' medd hi. 'Mae popeth yn newydd ac yn frawychus. Ond fe fyddi di'n teimlo'n wahanol ar ôl gwneud ffrindiau.'

Dw i'n ochneidio.

Ffrindiau?

Fi?

Rwyt ti'n breuddwydio, Mam fach.

Mae Dad yn rhoi ei fraich amdanaf hefyd. 'Erbyn i ni dy weld di yn y noson rieni nos yfory, fe fyddi di wrth dy fodd yma,' medd ef. 'Cred ti fi.'

'Mae'r ysgol hon,' medd Mam, 'yn mynd i roi popeth i ti na chafodd dy dad a minnau.'

Dw i'n nodio'n ddiflas.

Alla i mo'u siomi nhw. Treulion nhw fisoedd yn

dewis y lle 'ma. Penderfynodd Mam beidio â chael llawdriniaeth i gael gwared ar ei thatŵs er mwyn gallu fforddio'r ffioedd. Sut galla i ddweud wrthyn nhw y byddai hi'n well gen i fynd i ddosbarth Mrs Posnick yn fy hen ysgol?

'Mae'n rhaid i ti gyfaddef,' medd Mam, gan fy ngwasgu'n dynn unwaith eto, 'mae'r lle 'ma'n well na dy hen ysgol di.'

Dw i'n nodio eto.

Ond dw i ddim o ddifri.

Dw i'n gallu cerdded i'r hen ysgol mewn deg munud. Crys T cyfforddus yw'r wisg ysgol, nid 'blaser' bigog fel hon. Ac mae'r athrawon a'r plant yn wych. Does neb yn dy wthio di i fod yn ffrind iddyn nhw. Os wyt ti eisiau bod heb ffrindiau fel nad oes neb yn dod i wybod bod troseddwyr yn dy deulu di, mae hynny'n bosib.

Mae'r ysgol hon yn ferw gwyllt o blant cyfreithwyr a barnwyr a chomisiynwyr yr heddlu. Os dôn nhw i wybod beth mae Mam a Dad yn ei wneud, does dim gobaith gyda ni.

Dw i'n agor fy ngheg i ddweud wrth Mam a Dad eu bod nhw'n rhoi'r teulu i gyd mewn perygl wrth fy anfon i yma a'u bod nhw'n gwneud camgymeriad mawr.

Ond dw i ddim yn gwneud.

Mae eu hwynebau'n llawn gobaith.

Dw i'n cofio pa mor ddiflas roedden nhw pan gafodd Gavin ei anfon i'r carchar am ddwyn o siop. Fi yw'r unig blentyn arall sydd gyda nhw.

Alla i mo'u brifo nhw hefyd. Mae'n rhaid i mi geisio dioddef y saith mlynedd nesaf yma.

Rywsut.

Er eu mwyn nhw.

Tra dw i'n meddwl hyn, mae Dad yn fy arwain draw at ryw ddyn hollol ddieithr.

'Esgusodwch fi,' medd Dad, gan rwystro'r dyn dieithr. 'Len White dw i. Athro dych chi?'

Mae'r dyn dieithr, dyn tal tenau a thrwyn mawr a bwndel o lyfrau o dan ei fraich, yn edrych arna i a Mam a Dad ryw ddwywaith yr un.

'Creely,' medd ef. 'Gwyddoniaeth a Datblygiad Personol.'

Mae Dad yn siglo llaw Mr Creely yn frwd. Mae Mr Creely yn gwenu'n wan arno.

'Dyma fy merch Bridget,' medd Dad. 'Mae hi'n dechrau ym mlwyddyn chwech nawr. Mae Bridget yn berson ifanc sensitif o'r radd flaenaf. Os gallech chi weld eich ffordd yn glir i'w helpu hi i setlo yma, fe fyddwn i'n bersonol yn ddiolchgar iawn i chi.'

Mae Mr Creely yn gwenu'n wan arna i.

'Rydyn ni'n ystyried pob myfyriwr yn berson sensitif ac o'r radd flaenaf,' medd ef. 'Fe fydd pob un ohonyn nhw'n cael y gofal a'r gefnogaeth orau bosibl. Fel y caiff Bridget weld yn ei gwasanaeth cyntaf bore yfory.'

Mae Dad yn rhoi ei law ym mhoced ei siaced.

Yn sydyn, dw i'n neidio wrth sylweddoli beth mae e'n mynd i'w wneud.

Na, Dad, ymbiliaf yn dawel. Ddim fan hyn.

Mae hi'n rhy hwyr.

Mae Dad yn tynnu rhywbeth plastig allan o'i boced ac yn ei wthio i law Mr Creely.

'Gameboy o Fwlgaria,' medd Dad. 'Ansawdd o'r radd flaenaf. Gyda fy nghyfarchion.'

Mae Mr Creely yn syllu ar y gameboy mewn arswyd.

'Diolch,' medd ef. 'Ond allwn i byth . . .'

'Peidiwch â phoeni,' medd Dad. 'Mae gen i lond warws ohonyn nhw. Cadwch lygad bach cyfeillgar ar Bridget drosta i ac fe ddof i â chymysgydd o Iraq i chi'r tro nesaf y bydda i'n ymweld â hi.'

Dw i'n gweddïo na fydd Mr Creely yn gofyn am weld y dogfennau mewnforio ar gyfer y gameboy. Dw i ddim yn siŵr a yw'r dynion busnes o Fwlgaria mae Dad yn delio â nhw'n gallu ysgrifennu hyd yn oed.

'Ym, diolch,' medd Mr Creely o dan ei anadl a brysio i ffwrdd.

'Dyn neis iawn,' medd Dad, a rhedeg ei law dros fy ngwallt.

Mae Mam yn gwgu ar boced siaced Dad. Dw i'n gallu gweld ei bod hi'n meddwl tybed beth arall ddaeth Dad gydag e o'r warws.

'Fe ddylen ni fod yn meddwl am ei throi hi, siŵr o fod, cariad,' medd Mam wrtha i. 'Hoffet ti i ni fynd â ti 'nôl i dy ystafell i ni gael ffarwelio â ti fan 'na?'

'Dim diolch,' meddaf. 'Mae'r maes parcio'n iawn.'

Dw i'n ysu am iddyn nhw fynd o fan hyn cyn i Dad geisio rhoi set o gyrlwyr gwallt i farnwr uchel lys sy'n digwydd cerdded heibio.

Draw â ni i'r car. Mae Mam yn treulio llawer o amser yn rhoi cwtsh i mi ac yn dweud pethau cariadus. Fel arfer byddwn i'n teimlo'n hynod o hapus, ond alla i ddim canolbwyntio, ddim a ninnau'n sefyll yn ymyl yr unig Fercedes yn y maes parcio sy'n dolciau i gyd gyda 'spoiler' a gardiau olwynion enfawr. Nid Dad sydd ar fai. Wncwl Grub roddodd e iddo fe. Yn ein teulu ni rydyn ni'n credu mai pobl anghwrtais sy'n beirniadu anrhegion neu'n eu hanfon nhw i'w trwsio.

Mae Dad yn dweud llawer o bethau cariadus hefyd, ac yn rhoi trefnydd personol o Dwrci i mi.

Mae Wncwl Grub yn codi ei law arnaf drwy ffenest y car.

Wedyn i ffwrdd â nhw.

Dw i'n codi fy llaw arnyn nhw, gan geisio dal y dagrau'n ôl fel na fydda i'n tynnu sylw ataf fy hunan.

Dw i'n drist achos eu bod nhw'n mynd, ond dw i hyd yn oed yn dristach achos dw i'n gwybod beth yw'r gwir reswm pam mae Mam a Dad yn talu ffortiwn i'm hanfon i ysgol breswyl sydd ond rhyw awr yn y car neu'r bws ysgol o'n tŷ ni.

Maen nhw'n meddwl os llwyddan nhw i

'nghadw i allan o'r tŷ, na fydda i fel nhw ar ôl tyfu'n fawr.

Yn droseddwyr.

Mae hynny'n galed i mi achos maen nhw'n garedig ac yn hael ac yn dda a dw i'n eu caru nhw a dw i eisiau bod fel nhw ar ôl tyfu'n fawr.

Maen nhw wedi mynd.

Gwell i mi fynd i mewn cyn i'r rhieni eraill ddechrau siarad â mi.

Aros eiliad, beth yw'r cwmwl o lwch sy'n dod drwy gatiau'r ysgol? Car sy'n mynd ar wib. Mae'n tasgu cerrig mân dros y gwelyau blodau. Ai nhw sy'n rhuthro'n ôl fel gall Dad roi cyfrifiannell o Israel i mi?

O, na.

Rhywbeth gwaeth fyth ac mae'n dod yn syth tuag ataf.

Car heddlu.

//

Dw i'n sefyll fel delw wrth i'r car heddlu ruthro tuag ataf ar hyd lôn yr ysgol.

Ydyn nhw wedi dod i'n dal ni'n barod?

A welodd Mr Creely y rhif ffug ar y gameboy? A welodd e fod y logo Nintendo mewn Bwlgareg? A alwodd e'r heddlu i'm holi o flaen yr holl rieni a'r plant eraill tan i mi ildio i'r pwysau yn llewyrch eu gemwaith arian a'u watsiau aur a dweud popeth am Mam a Dad?

Dw i ddim yn aros i gael gwybod.

Dw i'n rhedeg fel y gwynt ar draws y maes parcio ac ar hyd ochr adeilad y llyfrgell, gan chwilio'n wyllt am rywle i guddio. Rhaid bod seler fan hyn yn rhywle lle mae'r llyfrgellydd yn rhoi'r holl lyfrau sydd â geiriau anweddus ynddyn nhw.

Draen.

Ffos.

Unrhyw beth.

Dw i'n edrych dros fy ysgwydd i weld a yw'r heddlu'n fy nilyn i ar droed. Dydyn nhw ddim. Dydyn nhw ddim yn fy nilyn i o gwbl. Dydyn nhw ddim hyd yn oed yn edrych i'm cyfeiriad. Does dim argoel eu bod nhw eisiau i mi eu helpu nhw gyda'u hymholiadau.

Dw i'n crynu gan ryddhad, ac yn esgus clymu carrai fy esgidiau er mwyn i mi gael gweld beth maen nhw'n wneud.

Mae'r car heddlu wedi'i barcio y tu allan i swyddfa'r ysgol. Mae dau heddwas yn helpu plentyn allan o'r sedd gefn. Mae e'n gwisgo blaser ysgol. Mae'r heddlu'n mynd gydag e i'r swyddfa. Mae un ohonyn nhw'n cario cês dillad y plentyn.

Wrth i mi ddringo'r grisiau cerrig mae fy meddwl yn troi'n gynt na phrosesydd bwyd o Fwlgaria, y fersiwn tyrbo.

Pam fod y plentyn yn y car heddlu?

Oedd e wedi dianc y tymor diwethaf, a newydd ei ddal maen nhw?

Neu ydy e'n adnabod rhywun yn yr heddlu?

Roedd Dad yn arfer gwerthu toiledau i adeiladwr oedd yn rhoi llawer o arian i gronfa gweddwon a phlant amddifaid yr heddlu. Roedd yr heddlu'n arfer ei helpu i beintio ei dŷ ar y traeth ac weithiau bydden nhw'n gyrru ei blant i'w gwersi jiwdo.

Dw i'n troi'r gornel ar ben y grisiau.

Mae'r coridor lan lofft yn llawn plant a rhieni'n llusgo cesys i ystafelloedd ac yn edmygu lliw haul ei gilydd. Mae'r rhan fwyaf ohonyn nhw'n edrych fel petaen nhw wedi adnabod ei gilydd ers blwyddyn pedwar. Dw i'n ceisio edrych fel petawn

15

i wedi bod yma ers blwyddyn pedwar hefyd. Dyw hi ddim yn hawdd achos dw i'n methu cofio ble mae fy ystafell.

Dyna hi.

Yr un â'r lleisiau uchel yn dod ohoni.

O na.

Rhaid bod y merched sy'n rhannu'r ystafell â mi wedi cyrraedd.

Dw i'n oedi y tu allan i'r drws ac yn ceisio dod yn barod i gael fy holi. Drwy lwc mae genynnau da gen i er mwyn cael fy holi. Un tro cafodd Dad ei holi gan yr heddlu am ddwy awr a'r unig beth a gyfaddefodd oedd bod pysgod yn codi gwynt arno.

Trueni na allwn i ddweud y gwir am fusnes mewnforio Mam a Dad. O'r gorau, mae e'n anghyfreithlon, ond o leiaf mae'n golygu eu bod nhw'n gallu gwerthu offer rhad i bobl sy'n methu fforddio rhai drud.

Mae'n rhy beryglus.

Dw i'n mynd i mewn.

'Helô,' meddaf. 'Bridget dw i.'

Am eiliad ryfedd dw i'n meddwl fy mod i'n rhannu'r ystafell â thair chwaer sy'n dripledi. Mae'r un steil gwallt yn union gan y tair merch sy'n eistedd ar eu gwelyau. Yn hir ac yn syth heblaw am gwrlyn bach o dan eu gên.

Maen nhw'n edrych i fyny arna i a dydyn nhw ddim yn gwenu. Am eiliad dw i'n meddwl y bydd yn rhaid i mi ymladd â nhw. Wedyn maen nhw'n gwenu.

Dw i'n sylweddoli mai ofn fy ngwallt oedd arnyn nhw. Rhoddodd Chervawn, y ferch sy'n trin gwallt Mam, doriad gwallt pigog dros ben i mi ddoe. Dim ond torri tamaid bach oedd eisiau, ond roedd Chervawn eisiau rhoi toriad go iawn i mi ar ôl i Dad roi wyth deg litr o siampŵ o Taiwan iddi.

'Helô,' medd un o'r merched. 'Croeso i'r stablau.'

'Rydyn ni'n galw'r ystafell hon yn stablau achos bod ceffylau gyda phob un ohonon ni,' medd merch arall.

'Oes ceffyl gyda ti?' medd y drydedd ferch.

Dw i'n gallu gweld nad tripledi ydyn nhw nawr. Mae trwynau a llygaid gwahanol gyda nhw ac mae eu plorod mewn gwahanol fannau.

Dw i'n dweud wrthyn nhw nad ydw i'n berchen ar geffyl ond fy mod i wedi eistedd ar geffyl a enillodd Gwpan Melbourne. Roedd y ceffyl draw gyda Wncwl Ray y diwrnod cyn y ras. Roedd e'n rhoi pigiadau arbennig iddo fe. Dw i ddim yn dweud hynny wrthyn nhw, wrth gwrs.

Mae'r merched wrth eu bodd yn clywed hynny ac maen nhw'n eu cyflwyno eu hunain. Eu henwau yw Chantelle, Antoinette a Veuve. Does dim acenion Ffrengig gyda nhw ond maen nhw'n gallu ynganu eu henwau'n dda iawn.

Y peth da yw ei bod hi'n llawer gwell ganddyn nhw siarad am geffylau na rhieni.

'Dyma Gandalf,' medd Chantelle, gan ddangos llun i mi. 'Mae e mooor annwyl. Druan bach, fe fydd e mor unig wedi'i gloi yn y stablau preswyl 'na hebdda i.'

'A Brad,' medd Antoinette, gan ddal llun hefyd. 'Yn ystod y tymor mae e'n camu o hyd ac o hyd o gwmpas y padog fel carcharor mewn cell. Yr unig beth sy'n codi ei galon yw pan fydd Dad yn rhoi mefus iddo.'

Dw i'n cael fy nhemtio'n fawr i ddweud wrthyn nhw fod cell mewn carchar dipyn yn llai na phadog, a'i bod hi hyd yn oed yn waeth cael dy frawd wedi'i gloi i fyny. Dw i'n llwyddo i frathu fy nhafod. Yn lle hynny dw i'n ceisio cofio y byddai'n braf mynd â mefus i Gavin.

Mae Veuve yn ffidlan â'r clo ar ei chês dillad. Mae hi'n gwthio'r cês ar y llawr ac yn rhegi arno. Dw i'n cael fy synnu. Dyw Mam a Dad ddim yn hoffi rhegi.

'Dw i wedi colli'r allwedd ac alla i mo'i agor e,' mae Veuve yn llefain.

Mae Antoinette a Chantelle yn gwenu ar ei gilydd.

'O na,' medd Antoinette. 'Tymor cyfan yn yr un dillad isaf.'

Mae Veuve yn edrych yn gas ar Antoinette.

'Fe alla i brynu rhagor o ddillad a phethau,' medd hi. Yna mae'n tynnu gwep fawr. 'Mae'r holl luniau o Muffy yn y cês 'na. Mae e'n edrych mooor annwyl yn ei gyfrwy newydd.'

Dw i'n gallu gweld ei bod hi'n hynod o drist.

Heb feddwl dw i'n mynd ar fy mhengliniau

mewn chwinciad chwannen o flaen y cês dillad. Cês smart a drud yn ôl y disgwyl â chlo na fyddai'n cadw mosgito allan.

Mae Ollie, cefnder Dad, yn symud cesys dillad mewn maes awyr. Fe ddangosodd i mi sut rwyt ti'n gallu agor naw deg wyth y cant o gesys wrth wthio beiro yn y clo a rhoi ergyd i'r clawr.

Dw i'n gwthio beiro yn y clo ac yn rhoi ergyd i'r clawr.

Mae'r cês yn agor ar unwaith.

Wedyn dw i'n sylweddoli beth dw i wedi'i wneud.

Mae Veuve a Chantelle ac Antoinette yn syllu arna i, yn gegrwth, yn union fel y cês dillad.

Heb ddweud gair, dw i bron â dweud y cyfan am Mam a Dad. Man a man i mi fod yn gwisgo crys T sy'n dweud 'troseddwyr yw pawb yn ein teulu ni.'

Dw i'n ceisio peidio meddwl faint o farnwyr sydd gan Antoinette, Veuve a Chantelle yn eu teuluoedd nhw. Neu dadau sy'n chwarae golff â barnwyr. Neu famau sy'n gwerthu hofrenyddion i farnwyr.

Dw i'n codi ar fy nhraed.

'Esgusodwch fi,' meddaf. 'Dw i newydd gofio bod rhaid i mi fod yn rhywle arall.'

Dw i'n rhuthro o'r ystafell, yn falch na dderbyniais i gynnig Dad i roi set o fasgedi picnic o Romania i mi. Os bydd y merched yn yr ystafell eisiau torri i mewn i'm bag i chwilio am nwyddau wedi'u dwyn, bydd yn rhaid iddyn nhw fynd drwy hen fag o'r fyddin gyda chlo pres triphlyg, a lwyddan nhw byth.

Dw i'n rhedeg i lawr y coridor ac i lawr y grisiau.

Dw i ddim yn gwybod i ble dw i'n mynd.

Dw i eisiau bod ar fy mhen fy hun, dyna'i gyd. Dyna'r unig le diogel i mi yn yr ysgol hon.

Anfonodd Mam a Dad fi yma oherwydd maen nhw'n meddwl y bydd ysgol ddrud a smart yn fy nghadw i allan o'r carchar. Syniad caredig iawn, ond syniad twp achos nawr mae'n rhaid i mi ganolbwyntio ddydd a nos i'w cadw *nhw* allan o'r carchar.

///

Wrth i mi redeg ar draws lawnt yr iard, mae cloch uchel yn canu.

Am eiliad o banig dw i'n meddwl mai cloch larwm yw hi.

Troseddwraig yn yr ysgol.

Mae hi'n ceisio cuddio.

Ar ei hôl hi.

Wedyn dw i'n cofio mai cloch bwyd yw hi. Dangoson nhw'r gwahanol glychau i ni'r bore 'ma pan oeddwn i'n cofrestru. Cloch fer ar ddiwedd gwersi, cloch ganolig ar gyfer gwasanaeth ysgol, cloch hir amser prydau bwyd, cloch sy'n swnio ychydig bach fel clychau drws Nadolig Dad o Latfia i'n galw ni i'r eglwys.

Yn sydyn mae'r iard yn llawn plant, yn gwthio ac yn gweiddi wrth iddyn nhw fynd am y neuadd fwyta.

Dw i'n cuddio o dan risiau, y tu ôl i fop a bwcedi. Mae eisiau bwyd arna i, ond byddai'n well gen i fynd heb fwyd na gorfod mân siarad â thri chant o feibion a merched teuluoedd â larymau lladron.

Ar ôl i bawb fynd i'r neuadd fwyta, fe fydda i'n cropian 'nôl i'r ystafell, bwyta rhai o'r bisgedi siocled o Fwlgaria a baciodd Dad yn fy mag, ac fe fydda i'n cysgu yn fy ngwely erbyn i'r merched eraill ddod 'nôl ar ôl swper.

Ond yn gyntaf, dw i eisiau treulio ychydig amser gyda Gavin.

Dw i'n tynnu ei lythyr diweddaraf allan o'm poced.

Mae Gavin yn ysgrifennu llythyrau hynod o dda. Dyw'r sillafu ddim yn berffaith bob amser, ond does dim byd yn bod ar ei deimladau. Wrth i mi ddarllen cymaint mae e'n ein caru ni i gyd ac yn gweld ein heisiau ac yn edrych ymlaen at ddod allan o'r carchar, mae dagrau'n cronni yn fy llygaid. A minnau nawr yn y lle yma, dw i'n gwybod yn iawn sut mae'n teimlo.

Dw i'n darllen llythyr Gavin dair gwaith y tu ôl i'r mop a'r bwced tan i 'nghoes ddechrau mynd yn gwsg. Wedyn dw i'n codi ar fy nhraed ac yn syllu ar draws yr iard.

Neb o gwmpas.

Yn sydyn, i lawr y coridor y tu ôl i mi, dw i'n clywed bachgen yn rhegi.

Mae hyn yn anhygoel. Petai Mam a Dad yn gwybod faint o regi sy'n digwydd yma, dw i'n siŵr y bydden nhw'n meddwl eto am y lle 'ma.

Dw i ar fin rhedeg fel y gwynt ar draws yr iard i'r adeilad lle mae'r ystafell pan dw i'n clywed y bachgen yn dechrau rhegi hyd yn oed yn uwch.

Mae rhywbeth yn ei lais sy'n gwneud i mi aros a gwrando. Yn ogystal â swnio'n flin a chrac, mae hefyd yn swnio'n drist a rhwystredig ac wedi'i ddal mewn trap.

Yn union fel fi.

Dw i'n mynd yn llechwraidd ar hyd y coridor, tuag at y llais.

Cer 'nôl, dw i'n dweud wrthyf fy hunan wrth i mi fynd yn nes. Cer 'nôl i'r ystafell a cher i'r gwely.

Dw i'n fy anwybyddu fy hunan.

Mae Gavin yn dweud ei fod wedi'i anwybyddu ei hunan pan gafodd ei ddal. Paid â dwyn y cloc cwcw, dywedodd wrtho'i hunan. Mae'n rhy fawr i ffitio o dan dy gôt, ond dyma fe'n anwybyddu ei hunan a dyma'r gwcw'n canu wrth iddo fynd yn llechwraidd drwy adran Dillad Isaf Dynion.

Mae'r rhegi'n dod o'r ystafell yna.

Dw i'n sefyll y tu allan i'r drws, ac yn gwrando.

Mae'n swnio fel petai person trist iawn, wedi ypsetio'n lân, i mewn yno.

Paid â churo ar y drws, dw i'n dweud wrthyf fy hunan.

Dw i'n curo ar y drws.

Dyw'r drws ddim wedi'i gau. Dyw'r glicied ddim wedi'i chau hyd yn oed. Mae'r drws yn agor led y pen.

Dw i'n syllu.

Mae bachgen yn eistedd wrth ddesg, a phryd bwyd heb ei gyffwrdd ar blât o'i flaen. Mae'n

darllen llythyr a'r wyneb mwyaf anhapus dw i
wedi'i weld yn yr ysgol hon ers i mi ddal fy llun fy
hunan yn nrych car Dad ar ôl cyrraedd yma.

Y bachgen o'r car heddlu yw e.

Mae'n edrych i fyny.

'Wyt ti'n iawn?' meddaf.

Mae'n syllu arnaf.

'Pwy wyt ti?' medd ef.

'Bridget,' atebaf. 'Bridget White.' Rydyn ni'n
hapus i roi enw'r teulu nawr ar ôl i Dad ei newid
rai blynyddoedd 'nôl.

Alla i ddim peidio ag edrych ar lythyr y
bachgen. Dyna sy'n gwneud iddo fod yn drist, dw
i'n gwybod yn iawn. Y llythyr.

Yn union fel fi.

'Beth wyt ti eisiau?' medd y bachgen. Mae
ganddo sbectol gron fawr a golwg syn ar ei
wyneb. Dyw e ddim yn edrych fel rhywun sy'n
arfer rhegi llawer.

'Roedd hi'n swnio fel petaet ti wedi ypsetio'n
lân,' meddaf i. 'Ro'n i'n poeni.'

Mae e'n edrych arnaf am dipyn. Dw i'n gallu
gweld ei fod e'n berson sy'n poeni hefyd.

'Ddylet ti ddim bod yma,' medd y bachgen o'r
diwedd. 'Adeilad y bechgyn yw hwn. Os cei di dy
ddal yma fe fyddwn ni'n dau mewn helynt.'

Dw i'n deall y pwynt. Roedd tipyn o sôn yn
rheolau'r ysgol am y gosb i blant sy'n mynd i
mewn i adeiladau'r lleill.

'Mae'r oedolion i gyd yn y neuadd fwyta,'

meddaf, er mwyn dangos iddo nad ydw i'n cael ofn yn hawdd.

'Dyw fy ngwarchodwr i ddim,' medd y bachgen.

Dw i'n syllu arno. Wedyn dw i'n edrych o gwmpas yr ystafell. Dim ond un gwely. Dim gwarchodwr.

Dw i'n edrych 'nôl ar y bachgen. Os oes gwarchodwr gyda fe, pam ddaeth e i'r ysgol mewn car heddlu?

Dyna drueni. Roedd e'n edrych fel person neis. Doedd e ddim yn edrych fel person hanner call a dwl neu gelwyddgi.

Ddim tan nawr.

Wrth i mi ruthro allan o'r adeilad ac ar draws yr iard, dw i'n ceisio peidio â bod yn rhy llym wrth fy hunan.

Dyna beth sy'n digwydd, dw i'n dweud wrth fy hunan. Rwyt ti mewn ysgol newydd ac yn teimlo'n drist. Rwyt ti'n gweld plentyn yn cael ei hebrwng gan yr heddlu gydag ystafell breifat a llythyr sy'n ei ypsetio. Rwyt ti'n dechrau meddwl bod pethau gyda chi'ch dau yn gyffredin. Rwyt ti'n dechrau meddwl efallai bod person fan hyn y gallet ti fentro dod yn ffrindiau ag ef.

Rwyt ti'n anghofio'n llwyr mai ysgol breswyl arbennig o smart yw hon, a'i bod hi'n annhebygol iawn fod tad plentyn arall yn yr ysgol hon yn droseddwr hefyd. Mor annhebygol â bod dwy fasged sglodion mewn ffrïwr dwfn o Mongolia.

////

Dw i erioed wedi teimlo'n unig yn rhannu ystafell â thri pherson arall o'r blaen.

Pan es i wersylla mewn caban gyda Mam a Dad ac Wncwl Grub, theimlais i ddim yn unig unwaith. Ddim hyd yn oed pan ddaeth yr heddlu i nôl Dad ac Wncwl Grub i'w holi oherwydd bod ein caban yn llawn tostwyr. Lapiodd Mam a finnau ein hunain mewn blancedi a siarad drwy'r nos a gwneud tost.

Roeddwn i'n poeni braidd, ond doeddwn i ddim yn unig.

Ddim fel fan hyn.

O'r gorau, mae'r merched eraill yn yr ystafell wedi ceisio bod yn gyfeillgar. Pan ddaethon nhw 'nôl o gael swper nawr a gweld 'mod i yn y gwely'n barod, ceision nhw sgwrsio â mi, chwarae teg.

'Hei, Bridget,' meddai Antoinette. 'Ble dysgest ti'r tric 'na gyda'r beiro?'

'Ydy dy rieni di'n gwneud ffilmiau am ladron?' meddai Chantelle.

'Neu ydyn nhw'n gwneud cesys?' meddai Veuve.

Roedden nhw'n garedig, ond dyna'n union roeddwn i'n ei ofni hefyd. Gormod o fod yn gyfeillgar. Dw i ddim yn credu bod gen i enynnau da ar gyfer cael fy holi wedi'r cwbl.

Dywedais rywbeth o dan fy ngwynt am fod yn flinedig a thynnais y cynfasau dros fy mhen. Roedd hynny tua dwy awr yn ôl.

Doedd dim gwahaniaeth gan y merched. Dechreuon nhw siarad am geffylau. Roeddwn i'n meddwl na fydden nhw byth yn cau eu cegau a mynd i gysgu. Rhagor o sibrwd am gyfrwy newydd Muffy neu fwng hyfryd Brad neu liw caca Gandalf a byddwn i wedi neidio allan o'r gwely a gwneud difrod troseddol i'w lluniau nhw o'r ceffylau.

Drwy lwc wnes i ddim neu bydden nhw wedi gweld fy mod i'n dal i wisgo fy ngwisg ysgol a'm sgidiau.

Dw i'n credu eu bod nhw'n cysgu nawr.

Mae Antoinette yn cysgu'n drwm ac mae Veuve yn chwyrnu ac mae Chantelle yn gwneud sŵn â'i cheg fel ceffyl yn yfed.

Dyma fy nghyfle i ddianc o'r fan hon a mynd adre i ddweud wrth Mam a Dad fy mod i wedi ceisio ymgartrefu yn yr ysgol yma er eu lles nhw ond ei bod hi'n llawer rhy beryglus. Fe fyddan nhw'n deall pan fydda i'n egluro iddyn nhw am y camgymeriad twp wnes i gyda bag Veuve ac am yr holi diddiwedd y bydda i'n ei ddioddef am y saith mlynedd nesaf. Fe fyddan nhw'n deall pam mae'n rhaid i mi adael a pham mae'n rhaid iddyn nhw beidio â dod i'r noson rieni nos yfory.

Mae'n rhaid iddyn nhw.

Dw i'n llithro allan o'r gwely.

A ddylwn i geisio mynd â'r cês dillad gyda fi? Na, dysga o gamgymeriad Gavin. Dwyt ti byth yn gallu dianc os oes rhywbeth trwm gyda ti. Mae e'n meddwl y byddai wedi gallu rhedeg yn gyflymach na'r ditectifs yn y siop pe na bai peiriant wafflau ganddo ym mhoced ei gôt.

Dw i'n codi fy mag ar y gwely'n ofalus, yn tynnu'r cynfasau drosto ac yn mynd am y drws.

Dw i'n diolch yn dawel i Gavin am yr anrheg pen-blwydd a roddodd i mi pan oeddwn i'n saith oed. Ar y pryd doeddwn i ddim yn meddwl ei bod hi'n anrheg wych oddi wrth frawd mawr, cael dy ddysgu sut i gerdded ar draws ystafell pan fydd hi'n dywyll fel bola buwch heb faglu dros esgidiau neu lyfrau, ond dw i'n gwerthfawrogi'r anrheg nawr.

Gwell na gwisg tylwythen deg unrhyw bryd.

Dw i'n sleifio allan o'r ystafell, yn gwibio ar hyd y coridor ac i lawr y grisiau.

Wedi cyrraedd y gwaelod mae'r dan mwyaf peryglus. Mae'r drws ffrynt wedi'i gloi, ac wrth ei ymyl mae ystafell Ms Hummer sy'n gofalu am bawb sy'n aros yma.

Mae'n rhaid i mi fod yn dawel.

Drwy lwc roedd Ollie, cefnder dad, yn gwybod nad oeddwn i eisiau gwisg dylwythen deg ar fy mhen-blwydd eleni chwaith. Rhoddodd rywbeth llawer mwy defnyddiol i mi. Prif allwedd, sy'n gallu agor naw deg wyth y cant o gloeon cyn i ti allu dweud, 'Help, mae lleidr wedi bod yn y tŷ.'

Dw i'n llithro'r allwedd yn y clo, gan ei siglo'n dyner fel dangosodd Wncwl Ollie.

Dw i'n ei throi hi ac mae'r drws yn agor gyda chlic.

Dw i'n oedi, gan aros am sŵn Ms Hummer yn dihuno ac yn chwilio am ei sliperi a'i thortsh a'i llyfr cosbi.

Dim byd.

Dw i'n camu allan i awyr oer y nos ac yn cloi'r drws yn ofalus y tu ôl i mi.

Does neb eisiau i ladron ddod i mewn.

Wedyn dw i'n mynd i gyfeiriad gatiau'r ysgol, gan gerdded ar y lawnt fel nad ydw i'n gwneud sŵn crensian ar y graean. Dw i'n gallu gweld y gatiau o'm blaen yng ngolau'r lleuad. Y tu hwnt iddyn nhw, yr heol fawr. Dw i ddim hyd yn oed yn gwybod i ba gyfeiriad mae'r dref leol neu pa mor bell mae'n rhaid i mi gerdded i gyrraedd yr orsaf neu'r arhosfa bysiau agosaf.

Does dim gwahaniaeth. Mae'r nos i gyd gyda fi. Mae Ms Hummer i fod i edrych yn yr ystafelloedd gwelyau, ond clywais y merched yn dweud na fydd hi braidd byth yn gwneud.

Mae gen i ddigon o amser i gyrraedd adre ac yna ymbil ar Mam a Dad i adael i mi aros os dw i'n addo dewis gyrfa arall heblaw am droseddu.

Dw i'n dringo gatiau'r ysgol. O ben y gatiau dw i'n syllu ar hyd yr heol i'r ddau gyfeiriad, gan geisio gweld arwyddbost.

Dim byd.

Mae Dad o hyd yn cwyno am y diffyg arwyddbyst ar heolydd. Mae e'n meddwl bod y bobl yn y cynghorau lleol yn cadw'r arian am arwyddbyst iddyn nhw eu hunain er mwyn prynu nwyddau trydanol drud o Japan.

Dw i'n penderfynu mynd i'r dde. Pan gafodd Gavin ei ddal gyda'r cloc cwcw, fe geisiodd fynd i'r chwith drwy'r adran Cosmetigau Dynion a dyna pryd y cafodd ei arestio.

Yn sydyn mae golau'n fy nallu.

Tortsh, yn disgleirio yn fy wyneb.

Mae llaw yn cydio yn fy nghoes ac yn fy llusgo am 'nôl oddi ar y glwyd. Dw i'n cwympo ar y graean ar y lôn ac mae'n boenus iawn.

Peth da. Mae poen yn dy atal rhag teimlo'n ofnus.

'Ry'ch chi mewn helynt nawr,' gwaeddaf ar y golau llachar. 'Mae ein cyfreithiwr ni'n arbenigwr ar greulondeb gan yr heddlu. A chreulondeb gan ysgolion.'

Dw i ddim yn siŵr am y rhan olaf, ond mae'n swnio'n dda.

Er fy mod i'n crynu ac yn benysgafn, dw i'n ceisio rhedeg. Dw i'n dda am redeg a dw i'n siŵr y gallaf i guro gofalwr ysgol neu Ms Hummer gysglyd.

Dw i'n codi ar fy nhraed.

Mae'r person â'r dortsh yn cydio yn fy mraich.

'Paid â mentro,' medd ef.

Mae e'n gryf. Dw i'n syllu arno drwy olau llachar y dortsh. Nid gofalwr na Ms Hummer yw e. Dw i'n gwybod beth yw e wrth ei ddillad.

Gwarchodwr.

Mae'n amlwg fod y bachgen â'r sbectol yn dweud y gwir wedi'r cyfan.

'Gadewch fi i fod,' meddaf.

Mae'r gwarchodwr yn cydio'n dynnach yn fy mraich. Mae e tua'r un oedran â Gavin ond mae'n dalach ac mae ganddo wyneb sy'n edrych fel clai.

'Dyw hyn yn ddim busnes i chi,' meddaf.

'Wir?' medd y gwarchodwr. Mae e'n meddwl bod rhywbeth yn ddoniol.

'Gwarchodwr y'ch chi,' meddaf. 'Eich gwaith chi yw atal pobl rhag dod i mewn. Dw i'n ceisio mynd mas.'

Mae'r gwarchodwr yn rhoi'r gorau i wenu. 'Pwy ddwedodd wrthot ti mai gwarchodwr ydw i?'

Dw i'n penderfynu peidio dweud dim am y bachgen â'r sbectol.

'Dw i'n gallu dweud hynny wrth eich siwmper chi,' meddaf. 'Dim ond bownsers a gwarchodwyr sy'n gwisgo siwmperi coler rholyn o dan ei siacedi.'

Mae'r gwarchodwr yn edrych i lawr ar ei siwmper ac yn gwgu.

'Roedd fy ewythr yn arfer gweithio fel gwarchodwr,' meddaf. 'Yn gynt yn ei yrfa.'

Mae'r gwarchodwr yn edrych yn rhyfedd arnaf. Dw i'n sylweddoli fy mod i bron â'i wneud e eto. Agor fy ngheg am fy nheulu. Dw i'n newid y pwnc.

'Pam mae angen gwarchodwr ar blentyn yn yr ysgol yma?' gofynnaf. 'Ydy ei dad e'n ymwneud ag unigolion cas a milain?'

'Dyw hynny'n ddim o'th fusnes di,' medd y gwarchodwr. 'Nawr cer 'nôl i'r gwely neu fe ddweda i wrth y pennaeth amdanat ti.'

Mae e'n gollwng fy mraich ac yn fy ngwthio'n ysgafn tuag at adeiladau'r ysgol.

Dw i'n penderfynu peidio â dadlau. Mae fy meddwl yn gweithio'n gynt na golchwr llestri o Fongolia.

Mae gwarchodwyr sy'n gweithio drwy'r nos yn cael eu talu am ddwbl a hanner yr amser maen nhw'n gweithio. Dim ond cyflogwyr cyfoethog iawn a all fforddio talu'r math yna o arian.

Rhaid bod tad y bachgen yna'n un o arweinwyr rhyw giang o droseddwyr.

Trueni, taswn i'n gallu aros yn yr ysgol hon, gallen ni fod wedi bod yn ffrindiau.

++++

Dw i'n dilyn cyngor Gavin.

Cadw'n dawel, Bridget, a phaid â dwyn dim byd.

Dyna beth ysgrifennodd Gavin pan glywodd fy mod i'n mynd i'r ysgol hon. A dyna dw i wedi'i wneud hyd yn hyn.

Amser brecwast, cyn gynted ag y rhoddodd Ms Hummer y gorau i geisio fy nghyflwyno i hanner y plant yn y neuadd fwyta, cadwais yn dawel. Ac yn y gwasanaeth ysgol hefyd. A nawr, er mwyn dianc rhag yr holl blant sydd eisiau gwybod pa fath o brofiad yw eistedd ar geffyl a enillodd Gwpan Melbourne, dw i wedi dod i'r dosbarth yn gynnar.

Ces i fy nhemtio i ddweud helô wrth y bachgen â'r gwarchodwr, ond wnes i ddim. Meddyliais am y peth am eiliad, ond dw i'n credu y byddai Gavin yn dweud mai'r peth diwethaf sydd ei angen arna i nawr yw bod pobl yn fy ngweld gyda throseddwr arall.

Mae'n dawel fan hyn yn yr ystafell ddosbarth. Neb o gwmpas i ofyn cwestiynau i mi. Dyna'r peth da am fod ar dy ben dy hunan, dim perygl dy fod ti'n datgelu cyfrinachau am y teulu.

Dw i ddim yn gwybod pa ddesg yw fy un i, felly dw i'n eistedd ar y llawr yn y cefn.

Mae wyth awr arall tan y galla i weld Mam a Dad yn y noson rieni ac egluro pam mae'n rhaid iddyn nhw fynd â mi adre, felly dw i'n darllen llythyr Gavin eto i godi fy nghalon.

Buodd pobl yn ymladd amser swper, mae'n ysgrifennu. *Doedd dim pys ar ôl yn y gegin. Cadwais yn dawel a chadw allan o drwbl.*

Ddylwn i ddim bod wedi darllen y darn yna. Druan â Gavin. Dw i'n casáu meddwl ei fod mewn man lle mae pobl yn ymosod ar ei gilydd yn ddireswm a lle nad oes digon o bys.

Diolch byth mai dim ond am chwe mis mae e i mewn yno. Gobeithio y bydd yn llwyddo i gadw ei drwyn yn lân. Dyw hi ddim yn hawdd iddo achos mae alergedd i baill arno fe ac mae e'n dioddef gyda'i sinysau.

Mae sŵn mawr yn gwneud i mi neidio.

Mae drws yr ystafell ddosbarth yn cael ei wthio ar agor led y pen.

Dw i'n codi ar fy nhraed.

Mae dau blentyn yn dod i mewn, dau fachgen, taldra arferol, yn eithaf tew, heb ddim byd anghyffredin amdanyn nhw, dim ond gwên gam ar eu hwynebau.

'O, mae babi clwt yn darllen llythyr oddi wrth Mami,' medd un.

Dw i'n gwthio llythyr Gavin i'r amlen. Hyd yn oed wrth wneud hynny, dw i'n gwybod fy mod i'n dwp. Dylwn i fod yn ei fwyta.

Rhy hwyr.

Mae un o'r bechgyn yn ymestyn tuag ataf i ac yn cipio'r llythyr. Dw innau'n cydio'n dynn ynddo.

'Dere nawr, gad i ni ei ddarllen e,' medd y bachgen. 'Dyw fy mam i ddim yn ysgrifennu ata' i.'

'Na fy mam innau chwaith,' medd y bachgen arall. Mae yntau'n cydio yn y llythyr hefyd.

Dw i'n gallu gweld bod y ddau'n dweud celwydd.

Mae'r rhan fwyaf o'r papur crychlyd yn fy nwylo i, ond mae'r ddau'n cydio yn y pen arall.

Dw i'n gweddïo na fydd y papur yn rhwygo. Hyd yn oed os caiff y bechgyn ddarn bach o'r papur yn unig, mae'n debyg y gwelan nhw eiriau fel *carchar* neu *chwe mis* neu *Trueni fy mod i wedi dwyn y pethau 'na o'r siop* ac wedyn bydd yr ysgol gyfan yn gwybod y gwir am fy nheulu.

Mae plant eraill wedi dod i mewn i'r ystafell ddosbarth ac maen nhw'n sefyllian ac yn gwylio'r frwydr.

'Gadewch lonydd iddi, y ddau fwli,' medd Antoinette.

Mae'r bechgyn yn ei hanwybyddu hi.

Dw i mewn penbleth.

Mae Wncwl Ray yn feddyg yn ogystal â bod yn filfeddyg ac mae e wedi dangos man arbennig ar gorff dynol i mi. Os wyt ti'n rhoi pwt iddo â'th fysedd mae'r person arall yn methu teimlo dim am ryw bum munud. Mae'n anghyfreithlon, ond mae Wncwl Ray'n meddwl ei fod yn effeithiol iawn.

Y drafferth yw, os gwnaf i hynny nawr, bydd pawb sy'n gwylio'n gwybod fy mod i wedi cael fy hyfforddi i'm hamddiffyn fy hunan gan droseddwr.

Mae'r bachgen sydd â gwarchodwr newydd ddod i mewn ac mae e'n hofran, yn bryderus, a'i lygaid yn fawr fel cnau macadamia siocled o Fwlgaria y tu ôl i'w sbectol.

Trueni nad oedd ei warchodwr yno hefyd, byddai ei help yn ddefnyddiol iawn.

Does dim pwynt. Alla i ddim gadael i'r ddau yma gael llythyr Gavin. Bydd rhaid i mi eu pwtio nhw ac esgus i mi weld y tric ar y teledu.

Dw i'n rhoi plwc i'r llythyr i dynnu'r bechgyn yn nes fel ei bod yn haws eu pwtio. Dydyn nhw ddim mor galed ag maen nhw'n edrych. Maen nhw'n baglu mewn syndod ac mae'r tri ohonon ni'n cwympo'n bentwr ar y llawr.

Alla i ddim clywed dim am eiliad. Wedyn dw i'n gwthio fy mhen allan o dan un o'u coesau nhw wrth i lais athro ruo o'r drws.

'Beth sy'n digwydd?'

Mr Lewis yw e, ein hathro dosbarth ni. Dywedodd y pennaeth wrth Mam a Dad fod Mr Lewis yn arfer chwarae rygbi i Gymru, a dw i'n gallu gweld bod ei wyneb yn dal yn goch, fel wynebau chwaraewyr rygbi mewn sgrym.

Mae e'n rhythu'n gas arna i a'r bechgyn, sy'n

codi'n frysiog ar eu traed. Trueni nad oedd Mr Creely yma gyda'i gameboy i gadw llygad arna i ac i'm hamddiffyn. Nawr mae Mr Lewis yn rhythu'n gas ar y llythyr crychlyd yn fy llaw.

'Beth yw'r ddogfen 'na?' medd ef. 'Yr un sy'n achosi cymaint o drafferth, mae'n amlwg?'

Mae fy mherfedd yn troi'n slwtsh, y math rwyt ti dim ond yn dod o hyd iddo mewn peiriannau bara o Latfia fel arfer.

Mae'r bachgen â'r gwarchodwr yn rhuthro draw ac yn plygu drosto i. Cyn i mi sylweddoli beth sy'n digwydd mae e'n tynnu llythyr Gavin allan o'm llaw.

Dw i'n codi ar fy eistedd i roi ergyd iddo.

Ond cyn y galla i wneud hynny, mae'n gwneud rhywbeth anhygoel.

Gan ddal i blygu drosto i, a chadw ei gefn at Mr Lewis a'r plant eraill, mae'r bachgen â'r gwarchodwr yn stwffio llythyr Gavin i boced fy mlaser. Mae e'n cymryd amlen arall o'i boced ei hun.

Mae'n troi ac yn rhoi ei amlen i Mr Lewis.

'Rhyw fath o lythyr yw e, syr,' medd ef.

'Diolch, Menzies,' medd Mr Lewis.

'Clapgi,' medd Chantelle dan ei hanadl.

Ond dw i ddim yn meddwl mai clapgi yw Menzies. Dw i'n credu ei fod yn gwybod fy mod yn yr un twll â fe, ond heb warchodwr.

Mae e'n ceisio fy helpu.

Wrth i Mr Lewis dynnu'r llythyr o'r amlen a'i astudio, dw i'n meddwl tybed ai dyma'r llythyr roedd Menzies yn ei ddarllen ddoe pan oedd wedi ypsetio.

Mae Mr Lewis yn dechrau darllen yn uchel.

'Heddiw gwaeddodd y dyn yn y gell nesaf enwau ei blant ac yna ceisiodd ddringo dros y ffens weiren rasel. Aeth rhai o'r carcharorion eraill i'w rwystro ond cafodd ei frifo serch hynny. Eglurais i'r gwarchodwyr mai'r cyfan roedd y dyn eisiau ei wybod oedd a fyddai'n cael gadael. "Paid gofyn i mi," medd un o'r gwarchodwyr. "Alla i ddim gweld mor bell â hynny i'r dyfodol." A chwarddodd. Roedd rhaid i mi stopio Bibi rhag cnoi ei figwrn.'

Mae Mr Lewis yn rholio ei lygaid, yn plygu'r llythyr ac yn ei roi'n ôl yn yr amlen.

Dw i'n teimlo'n sâl.

Mae hyn yn erchyll.

Dyw hyn ddim yn helpu o gwbl.

Mae llythyr Menzies oddi wrth rywun mewn carchar ar gyfer troseddwyr difrifol. Dim rhyfedd fod Menzies wedi ypsetio os mai oddi wrth frawd neu gefnder neu ewythr oedd y llythyr. Dw i wedi ypsetio hefyd. Nawr bydd pawb yn meddwl bod llofrudd gyda ni yn y teulu.

Cyn i mi allu tynnu'r llythyr allan a dangos i bawb mai dim ond rhywun bach diniwed sy'n dwyn o siopau yw Gavin, mae Mr Lewis yn rhoi ochenaid ddofn ac yn pwyntio ata i â llythyr Menzies.

'Mae'n debyg fod rhywun arall gyda ni sy'n cydymdeimlo â'r ffoaduriaid,' medd Mr Lewis.

'Ai Menzies drefnodd i ti gael rhywun i ysgrifennu atat ti?'

Cydymdeimlo â ffoaduriaid? Menzies yn trefnu? Dw i ddim yn deall. Dw i ddim yn gwybod beth i'w ddweud.

'Mae angen i Menzies ddysgu nad oes gan bawb obsesiwn, fel fe, am y ffoaduriaid mewn canolfannau cadw,' medd Mr Lewis wedyn. 'Dw i'n dechrau meddwl tybed ai camgymeriad oedd y prosiect ffoaduriaid roddais i chi'r tymor diwethaf.'

Mae'n cynnig y llythyr i mi.

Mae e'n amlwg eisiau i mi ei gymryd.

Dw i'n ei gymryd.

'Dim ond un math o gadw mae gen i ddiddordeb ynddo fe ar hyn o bryd,' medd Mr Lewis, gan rythu'n gas arna i a'r ddau fwli. 'Eich cadw chi'ch tri i mewn amser cinio.'

Mae'r dosbarth yn eistedd ac mae Mr Lewis yn dangos i mi ble mae fy nesg. Wrth i mi sylweddoli beth sydd wedi digwydd, dw i ddim yn teimlo'n sâl nawr. Dw i'n edrych yn ddiolchgar ar Menzies ar draws yr ystafell ddosbarth.

Mae e wedi rhoi help i mi.

Llawer iawn o help.

Dyw'r bobl yma ddim yn meddwl fy mod i'n rhan o deulu o droseddwyr mawr, maen nhw'n meddwl mai rhywun sy'n cydymdeimlo â ffoaduriaid ydw i, dyna'i gyd.

Efallai, dim ond efallai, y galla i aros yn yr ysgol yma wedi'r cyfan.

####### ~~HHH~~
/

Dw i'n curo'n daer ar ddrws Menzies.

Mae amser cinio bron ar ben, ond dw i eisiau diolch iddo am fy helpu. Hefyd dw i eisiau gofyn iddo sut galla i ysgrifennu at un o'r ffoaduriaid, fel mae e'n ei wneud.

Mae'n ffordd wych o gadw'n dawel am ei deulu o droseddwyr. Os bydd e byth yn anghofio ei hunan ac yn siarad am garcharorion neu gelloedd neu oriau ymweld, mae pobl yn meddwl ei fod e'n siarad am ganolfan gadw.

Efallai bydd hynny'n gweithio i mi hefyd.

Dw i'n curo eto.

Dere nawr, Menzies. Os bydd rhywun yn fy nal i fan hyn yn adeilad y bechgyn, fe fydda i'n cael fy nghadw i mewn eto fy hunan.

Mae rhywun yn rhoi pwt i mi ar fy ysgwydd. Dw i'n cael braw ac yn troi.

Ac yn rhewi.

Y gwarchodwr sydd yna.

Dw i'n ei adnabod yn syth, er nad yw ei wyneb yn edrych mor debyg i glai. Ac yn lle siwmper

40

coler rholyn ddu mae e'n gwisgo crys T Britney Spears. Dw i'n gallu gweld ei fod yn fy adnabod o'r ffordd y mae e'n cymryd tamaid o'i dost ac yn ei gnoi'n araf heb dynnu ei lygaid oddi arna i.

Dw i mewn helynt nawr. Yn wahanol i neithiwr, mae hyn *yn* fusnes iddo fe. Dyma ei waith e, atal pobl fel fi a cheisio eu cadw nhw draw oddi wrth ei gleient. Yn enwedig merch fel fi sydd ddim i fod yn yr adeilad hyd yn oed.

'Helô,' medd y gwarchodwr, gan fwrw briwsion oddi ar ei grys T. 'Dw i'n gweld dy fod wedi aros am ychydig wedi'r cyfan.'

Dw i ddim yn deall. Dyw e ddim yn fy rhwystro. Dyw e ddim hyd yn oed yn dweud wrtha i am adael adeilad y bechgyn. Efallai nad yw'n gwybod am y rheol.

'Dw i'n chwilio am Menzies,' meddaf.

'I mewn fan 'na mae e,' medd y gwarchodwr, gan nodio tuag at ystafell Menzies. 'Paid â ffwdanu curo'r drws, fydd e ddim yn dy glywed di. Cer i mewn.'

Mae'r gwarchodwr yn cerdded yn hamddenol i lawr y coridor.

Dw i wedi synnu. Dyw e ddim yn ceisio gwarchod ei gleient hyd yn oed. Dim ond crwydro o gwmpas yr ysgol yn gwneud tost. Anobeithiol. Mae tad Menzies yn cael ei flingo. Mae hyn yn erchyll.

Dw i'n camu i'r ystafell, gan feddwl pam dwedodd y gwarchodwr na fyddai Menzies yn fy nghlywed i.

Mae'r ystafell yn edrych yn wag. Yna dw i'n clywed synau rhyfedd yn dod o'r cwpwrdd dillad.

Mae Wncwl Grub, a oedd yn arfer lladrata tipyn o dai pobl pan oedd e newydd briodi, yn dweud dy fod ti'n gallu dweud yn syth wrth fynd i mewn i ystafell os oes rhywbeth yn bod.

Mae rhywbeth yn bod yn bendant yn yr ystafell hon. Trueni bod y drws wedi cau ar fy ôl i.

Mae'r synau rhyfedd yn y cwpwrdd dillad yn cryfhau.

Dw i'n ceisio meddwl tybed beth sy'n creu'r sŵn.

Pibenni dŵr poeth swnllyd? Ci gwarchod mae Menzies yn ei gadw yn y cwpwrdd dillad? Menzies mewn helynt o ryw fath?

Dw i'n agor drws y cwpwrdd dillad a dw i'n barod i neidio y tu ôl i'r gwely os mai ci ffyrnig sydd 'na.

Nid dyna sydd 'na.

Menzies sydd 'na, mewn helynt mawr.

Mae e wedi cael ei glymu â gefynnau llaw wrth reilen y dillad ac mae ei bigyrnau wedi'u clymu wrth ei gilydd â thywel ac mae pâr o drôns wedi'u stwffio yn ei geg. Mae'n rhythu arna i drwy ei sbectol fawr gron. Mae'n edrych yn grac ac wedi ypsetio ac yn llawn embaras.

Dw i'n tynnu'r trôns o'i geg.

'Diolch,' medd ef o dan ei anadl.

'Wyt ti'n iawn?' gofynnaf.

Mae'n nodio, ond dw i'n gallu gweld nad oedd e'n hoffi blas y trôns.

'Beth ddigwyddodd?' gofynnaf.

'Dim byd,' medd Menzies.

Dw i'n deall. Mae e'n ceisio peidio dweud gormod am ei deulu. Falle bod rhywun wedi ceisio ei herwgipio neu fod giang arall yn ceisio dial ar y teulu.

'Dw i'n meddwl ei bod hi'n annheg iawn,' meddaf. 'Ddylai pobl ddim gorfod dioddef oherwydd yr hyn mae eu rhieni nhw'n ei wneud.'

Dyw Menzies ddim yn cytuno nac yn anghytuno. Mae e'n dweud wrtha i fod yr allwedd i'r gefynnau llaw ar y bwrdd wrth y gwely.

Dw i'n dod o hyd i'r allwedd ac yn datgloi'r gefynnau.

Mae Menzies yn cwympo allan o'r cwpwrdd dillad a glanio ar y carped. Dw i'n sylweddoli y dylwn i fod wedi datod ei bigyrnau gyntaf.

'Gefynnau pwy ydyn nhw?' gofynnaf wrth i mi ddatod y tywel.

'Rhai Dave,' medd Menzies yn grac. 'Y gwarchodwr sydd gyda fi.'

Dw i'n syllu arno.

'Dy warchodwr di wnaeth hyn?'

Dw i'n ceisio deall y peth. Efallai bod Menzies mor awyddus i gael cinio gyda'r plant eraill yn y neuadd fwyd fel bod yn rhaid i'r gwarchodwr dwl ei rwystro. Neu efallai mai rhyw fath o ymarfer hyfforddi yw e.

'Fe ges i fenthyg y gefynnau gan Dave ar gyfer prosiect ysgol,' medd Menzies.

Mae'n eistedd ar y gwely ac yn rhwbio'i arddyrnau a'i bigyrnau.

'Felly pwy wnaeth 'te?' meddaf.

Yn sydyn mae Menzies yn edrych yn drist a dw i'n gallu gweld ei fod e'n mynd i ddweud y gwir.

'Plant o'r dosbarth,' medd ef. 'Roedden nhw'n meddwl fy mod i'n glapgi gyda'r llythyr. Ac ro'n nhw'n fy meio i am fod Rich a Trav wedi cael eu cadw i mewn.'

'Dyw hynny ddim yn deg,' ffrwydraf. 'Dim ond fy helpu i ro't ti.'

Mae Menzies yn codi ei hambwrdd cinio o'r llawr. Mae potyn iogwrt gwag yn sownd wrtho.

'Roedd chwech ohonyn nhw ac un ohono i,' medd Menzies. 'Ond chawson nhw mo'u ffordd eu hunain i gyd. Fe stwffies i iogwrt yng ngheg Bryce Wentworth. Mae e'n casáu iogwrt.'

'Da iawn ti,' meddaf. 'Trueni nad o'n i yma i helpu.'

Mae Menzies yn edrych arna i'n drist ac yn nodio. Mae ei wallt wedi'i blastro â iogwrt. Dw i'n ceisio peidio ag edrych arno. Yn lle hynny dw i'n tynnu ei lythyr allan o'm poced ac yn ei estyn iddo.

'Diolch am yr hyn wnest ti,' meddaf. 'Fe fuest ti'n garedig iawn.'

Mae Menzies yn cymryd y llythyr. 'Ro'n i'n gallu gweld dy fod ti eisiau cadw dy lythyr di'n breifat,' medd ef.

Dw i eisiau dweud mwy. Dw i eisiau dweud wrtho cymaint sydd gyda ni'n gyffredin. Sut y gallwn ni fod yn ffrindiau os bydda i'n aros yn yr ysgol, a helpu ein gilydd.

Ond yn gyntaf mae rhywbeth mae'n rhaid i mi ofyn.

'Pam na ddaeth dy warchodwr di i rwystro'r plant rhag gwneud hyn?'

Dw i'n credu fy mod i'n gwybod yr ateb yn barod. Achos roedd e'n gwneud tost.

Mae Menzies yn ochneidio. 'Dyw Dave ddim yn ymyrryd â phethau'r ysgol. Dim ond gwarchod rhag pethau mwy mae e i fod i'w wneud. Ti'n gwybod, terfysgwyr.'

Dw i'n syllu arno.

Terfysgwyr? Mae teulu Menzies mewn perygl oherwydd terfysgwyr?

Yn sydyn dyw'r dynion o Fwlgaria mae Dad yn eu hadnabod ddim yn ymddangos mor wael.

'Edrych,' meddaf. 'Dw i ddim eisiau busnesa, ond efallai gall Dad roi cyngor i dy dad di am sut i ymdopi â phartneriaid busnes anodd. Er enghraifft, mae Dad wedi dod i wybod mai camgymeriad mawr yw gofyn am dderbynneb.'

Mae Menzies yn edrych arna i fel petai e wedi drysu'n lân.

'Gweinidog yw 'nhad i,' medd ef.

Nawr dw i wedi drysu. Pam byddai terfysgwyr eisiau niweidio mab i weinidog? Efallai bod ei dad wedi dweud pethau amdanyn nhw mewn pregeth.

'Pa grefydd?' gofynnaf.

'Nid y math 'na o weinidog,' medd Menzies. 'Gweinidog yn y llywodraeth. Dad yw'r Gweinidog dros Ddatblygu Cenedlaethol. Fe fuodd e'n beirniadu mudiad terfysgol, felly nawr mae'n rhaid i mi gael gwarchodwr.'

'O,' meddaf.

Dw i'n aros am eiliad i geisio deall.

'Dw i'n gweld,' meddaf wedyn ar ôl ychydig.

Dw i'n gweld yn fwy na dim pa mor drist yw'r sefyllfa. Am y tro cyntaf roeddwn i bron â chael ffrind go iawn. Plentyn arall unig o deulu o droseddwyr fel fi, ond yn ddewr a chlyfar hefyd.

Nawr dw i'n falch na wnes i agor fy ngheg a dweud mwy wrtho am Mam, Dad, neu'r dynion o Fwlgaria.

'O na,' cwyna Menzies, gan deimlo ym mhocedi ei flaser. 'Maen nhw 'di rhoi jam yn fy mhocedi i.'

Druan â fe. Dw i wir yn teimlo'n flin drosto. Mae'r plant eraill siŵr o fod yn credu fod Menzies yn meddwl ei fod yn well na phawb arall achos bod ei dad yn bwysicach na'u tadau nhw.

Ond alla i ddim gwneud dim am hynny.

Mae'n rhaid i mi ganolbwyntio ar gadw mor bell ag y galla i oddi wrth Menzies. Cyn iddo ddod i wybod rhagor am fy nheulu ac yn sydyn bydd yr heddlu a swyddfa'r tollau a'r Adran Masnach Dramor yn dod draw i'n tŷ ni i chwilio.

Dw i'n teimlo'n sâl ac yn sigledig. Y cyfan dw i eisiau yw bod gartref yn fy ngwely fy hunan.

Dw i mor falch bod y noson rieni heno fel y galla i ddweud wrth Mam a Dad cymaint mae angen i mi adael y lle 'ma.

$$\text{////} \\ \text{//}$$

Trueni bod noson rieni gyda'r ysgol 'ma.

Mae hi'n drychineb.

Mae'r noson rieni ar noson gyntaf y tymor fel gall y rhieni sy'n byw yn y wlad ddod cyn iddyn nhw fynd am adre. Y drafferth gyda phobl o'r wlad yw eu bod nhw'n siaradus dros ben.

'Sut mae pethau'n mynd?' gofynnodd mam Antoinette i Dad nawr. 'Wyt ti'n cadw'r blaidd o'r drws?'

Dw i'n siŵr fod hanner neuadd yr ysgol wedi clywed Dad yn dweud wrthi fod y glaw trwm yn Turkmenistan y mis diwethaf yn wych i'w fusnes e. Ceisiais dynnu ei sylw at rywbeth arall, ond dyma fe'n sôn yn ddiddiwedd am dirlithriadau difrifol a sut aeth tryciau o Rwsia yn sownd yn y mwd ac mai ei bartner busnes sydd â'r unig dryc tynnu am ddwy fil o gilomedrau sgwâr. Os bydd e'n dweud wrth bawb ei bod hi'n costio tri deg peiriant golchi neu chwe deg sychwr i gael eich tynnu o'r mwd draw yn Turkmenistan, fe fydd hi ar ben arnom.

Mae Mam fel arfer yn dda iawn am gadw trefn ar Dad, ond mae hi'n gwrando ar Antoinette sy'n dweud wrthi fod Brad druan yn brwydro'n ddewr â charn poenus.

Mae'n rhaid i mi fynd â Mam a Dad y tu allan i ni gael siarad o ddifrif. Yr unig reswm nad ydw i'n gwneud hynny nawr yw eu bod nhw wedi fy anfon i nôl diod iddyn nhw.

Dw i'n rhuthro'n ôl gyda dau wydraid o bwnsh ffrwythau.

O na. Mae Dad yn siarad â rhieni Veuve. Clywais Veuve yn ymffrostio ddoe fod ei rhieni yn y cyfryngau. Gallen nhw fod yn recordio popeth mae Dad yn ei ddweud.

Dim ond un peth y gallaf ei wneud.

Esgus baglu.

'Sori, Dad,' meddaf.

Mae dau wydraid o bwnsh ffrwythau'n hedfan drwy'r awyr.

'O, Bridget, beth wyt ti'n wneud?' llefa Dad. 'Dw i'n wlyb domen.'

Mae pwnsh ffrwythau'n diferu oddi ar ei siwt. Drwy lwc, un o'r siwtiau gyrhaeddodd o Libanus wythnos diwethaf yw hi, felly mae cant saith deg arall gyda fe.

'Rhowch ddŵr oer arno fe,' medd rhieni Antoinette.

'A halen,' medd rhieni Veuve.

'Dewch,' meddaf wrth Mam a Dad. 'Mae'r toiledau y tu allan. Fe fachwn ni bowlen o gnau ar y ffordd.'

Dw i'n eu llusgo nhw allan o'r neuadd ac mae Mam yn rhoi hances boced yn ysgafn dros siwt Dad. Yn yr iard, dw i'n troi ac yn wynebu'r ddau.

'Mae'n ddrwg gen i, Dad,' meddaf. 'Mae'n ddrwg gen i, Mam. Mae hyn yn hunllef.'

'Nac ydy, cariad,' medd Mam yn dyner. 'Dim ond damwain oedd hi. Ry'n ni i gyd yn cael damweiniau weithiau. Wyt ti'n cofio pan geisiodd Dad olchi naw mil pâr o glustlysau perl yn y peiriant golchi llestri ac fe doddon nhw?'

'Nid y siwt dw i'n ei feddwl,' meddaf. 'Yr ysgol. Edrychwch ar y plant eraill. Edrychwch ar eu rhieni nhw. Ddylwn i ddim bod yma.'

Dw i'n dal fy anadl.

Mae Mam a Dad yn edrych ar ei gilydd ac yna arna i eto.

'Dw i'n gwybod beth rwyt ti'n ei ddweud, cariad,' medd Dad.

Dw i'n nodio. Mae fy nghalon yn curo fel gordd. Da iawn, Dad annwyl.

'Y dyn 'na ro'n i'n siarad ag e nawr sy'n cynhyrchu sioeau gemau ar y teledu,' medd Dad wedyn. 'Mae e'n dweud ei fod e'n defnyddio watsiau aur ffug fel gwobrau ac yn codi am bris rhai go iawn ar y cwmni teledu. A'r fenyw sy'n berchen ar y ffatri sebon. Mae hi'n gwneud sebon sydd i fod i gael gwared ar grychau ac mae hi

49

newydd ddweud nad yw e'n gweithio. O'r gorau, mae'n rhaid i ni blygu'r rheolau weithiau i gadw'r blaidd o'r drws, ond dyw hynny ddim yn esgus dros ddweud celwydd a thwyllo.'

'Len,' medd Mam. 'Dw i ddim yn credu mai dyna mae Bridget yn ei feddwl.'

Mae Dad yn gwgu.

'Mae'r ysgol 'ma'n rhy beryglus,' meddaf. 'Mae rhieni rhai o'r plant yma'n farnwyr. Ac yn gomisiynwyr yr heddlu. Ac yn bobl gwneud sebon sy'n gallu arestio dinasyddion eraill os ydyn nhw eisiau. Os dôn nhw i wybod beth ry'n ni'n wneud, byddwn ni mewn helynt a hanner.'

Mae Dad yn edrych arna i, mae e'n gwgu o hyd.

'Beth wyt ti'n feddwl,' medd ef, 'beth ry'n ni'n wneud?'

Mae e'n gwneud i mi ddweud, ond dw i ddim eisiau.

'Beth rwyt ti'n wneud,' meddaf yn dawel.

Yn lle gwgu, mae Dad nawr yn edrych yn drist ac wedi'i frifo.

Mae Mam yn rhoi ei breichiau amdanaf.

'Cariad,' medd hi. 'Dw i'n meddwl dy fod ti'n poeni gormod.'

'Nac ydy,' medd Dad yn dawel. 'Dw i'n gwybod beth rwyt ti'n ddweud, Bridget.'

Y tro hwn dw i'n gweld ei fod e, hefyd.

'A dyna pam,' medd Dad wedyn, 'dw i eisiau i ti aros yn yr ysgol hon. Mewn blynyddoedd i ddod, pan fyddi di'n dweud wrth bobl dy fod ti wedi bod yn yr ysgol hon, bydd drysau'n agor i ti. Fe gei di wneud pethau mawr. Fe gei di unrhyw yrfa rwyt ti eisiau. Fydd dim angen cyfrinachau. Dim angen teimlo cywilydd.'

Dw i'n edrych i fyw llygaid Dad, sy'n anodd achos mae dagrau'n cronni yn fy llygaid i.

'Dw i ddim yn teimlo cywilydd nawr, Dad,' meddaf.

Mae Dad yn nodio, ond dyw e ddim yn edrych i fyw fy llygaid nawr.

'Mae hon yn ysgol dda,' medd Mam. 'Mae ganddi record academaidd wych. A dw i'n siŵr fod y bobl yma'n rhy brysur gyda'u bywydau eu hunain i boeni amdanom.'

Mae Dad yn rhoi ei freichiau amdanaf i a Mam.

'Dw i'n gwybod nad yw hi'n hawdd i ti fan hyn, Bridget,' medd ef. 'Ond fyddwn ni, y teulu White, byth yn rhoi'r gorau iddi, na fyddwn? Wnaeth dy hen hen hen dad-cu Benedict White ddim rhoi'r gorau iddi. Cafodd ei arestio yn 1847 am arwain streic cneifwyr a dyma fe'n twnelu ei ffordd o ofal yr heddlu gan ddefnyddio'i ddwylo'n unig.'

Dw i'n casáu hynny.

Bryd bynnag mae Dad eisiau i mi wneud rhywbeth ych a fi, mae'n adrodd hanes fy hen hen hen dad-cu White, ac nid dyna ei enw iawn hyd yn oed. Newidion ni ei enw fe wrth newid ein henw ni.

Trueni nad oedd Benedict White wedi cael ei gloi i mewn yn 1847 a heb ddianc o gwbl.

Mae Mam yn edrych arna i, yn bryderus.

'Druan fach,' medd hi. 'Rhaid ei bod hi'n dal i deimlo ychydig yn rhyfedd ac unig yma.'

Dw i'n codi fy ysgwyddau. Os dw i'n mynd i aros yn yr ysgol yma, does dim pwynt rhoi rhagor o ofid iddyn nhw.

'Dal dy afael 'merch fach i,' medd Dad. Mae'n rhoi ei ddwrn yn ysgafn ar fy ngên. 'Mewn pedwar diwrnod fe fyddi di'n dod adref am y penwythnos. Mae achlysur pwysig iawn dydd Sadwrn. Gobeithio nad wyt ti wedi anghofio.'

'Dy ben-blwydd di,' meddaf, gan geisio swnio'n awyddus ac nid yn anobeithiol.

'A'r cyfan dw i eisiau ar fy mhen-blwydd,' medd Dad, 'yw merch hapus.'

'Mae hi'n mynd i gymryd amser,' medd Mam, gan roi ei llaw yn ysgafn dros fy ngwallt. 'Fe fyddi di'n teimlo'n llawer gwell, cariad, ar ôl i ti wneud dy ffrind cyntaf. Mae'r merched 'na â'r ceffylau'n ymddangos yn hyfryd.'

'Helô, Bridget,' medd llais.

Dw i'n troi ac mae fy mherfedd yn toddi fel clustdlws perl meddal.

Menzies sydd yno, yn syllu drwy ei sbectol. Mae e'n edrych yn eithaf gobeithiol ac yn drist ar yr un pryd.

Dw i'n ceisio meddwl am ffordd o gael gwared arno heb frifo'i deimladau.

'Gaf i aros gyda chi am dipyn?' medd Menzies. 'Dyw fy rhieni ddim wedi dod.'

'O, druan bach â ti,' medd Mam. 'Wrth gwrs y cei di. Bridget, dere cariad, cyflwyna dy ffrind.'

'Dyma Menzies,' meddaf o dan fy ngwynt.

'Hyfryd cwrdd â ti, Menzies,' medd Mam a Dad, yn edrych yn fwy hapus nag oedden nhw pan glywon nhw ddiwethaf ei bod hi'n bwrw glaw yn Turkmenistan.

Dw i'n edrych am y gwarchodwr ond alla i mo'i weld e. Mae'n rhaid ei fod e'n cael ychydig o ddiod. Neu'n bwyta tost.

'Roedd fy rhieni'n mynd i fod yma,' medd Menzies, 'ond maen nhw'n brysur iawn.'

'Trueni mawr,' medd Dad. 'Beth maen nhw'n wneud?'

'Dad yw'r Gweinidog dros Ddatblygiad Gwladol,' medd Menzies. 'Mae fy mam yn ei helpu gyda pholisi a diddanu pobl.'

Dyw Mam a Dad ddim yn dweud dim am oesoedd. Dim ond edrych ar ei gilydd, wrth eu bodd. Dw i'n syllu ar y darn gwlyb ar siwt Dad ac yn meddwl tybed a allwn i gael gwared ar Menzies petawn i'n dweud wrtho fod gan Dad broblem â'i bledren.

Cyn i mi allu meddwl am ffordd o wneud hyn heb i Dad glywed, mae Mam yn cofio sut i siarad.

'Wel, Menzies,' medd hi, 'ry'n ni'n falch dy fod ti'n ffrind i'n merch ni.'

'Yn hollol,' medd Dad. 'Mae hi'n ben-blwydd arna i ddydd Sadwrn. Ry'n ni'n cael dathliad bach teuluol ac mae Bridget yn dod adref am y penwythnos. Fe fydden ni wrth ein bodd petaet ti'n gallu dod gyda hi.'

'Bydden,' medd Mam. 'Wrth ein bodd.'

Dw i'n syllu ar y ddau mewn arswyd.

Mae llygaid Menzies yn disgleirio y tu ôl i'w sbectol.

'Diolch,' medd Menzies wrth Mam a Dad. 'Ry'ch chi'n garedig iawn. Fe hoffwn i wneud hynny'n fawr iawn.'

'Alli di ddim,' crawciaf.

Mae'r tri ohonyn nhw'n edrych arnaf.

'Mae'n rhy beryglus,' meddaf wrth Menzies. 'Rhybuddion y terfysgwyr, ti'n cofio? Fydd dy warchodwr ddim yn gadael i ti.'

Mae Menzies yn gwenu arna i a gallaf weld ei fod o dan deimlad.

'Popeth yn iawn,' medd ef. 'Fe gaf i ganiatâd oddi wrth fy rhieni. Fydd dim gwahaniaeth gyda nhw. Dw i'n siŵr nad oes unrhyw derfysgwyr yn dy gartref di.'

####### ///

Dw i'n dihuno'n sydyn.

Mae lleisiau fy mreuddwyd yn chwyrlio yn fy mhen fel darnau o frws dannedd trydan o Mongolia pan fydd yn chwalu yn dy geg.

Dad yn dweud wrth dad Veuve ei fod e'n gywilydd i'r ysgol.

Fi'n ymbil ar Menzies i beidio â dod adref gyda fi ddydd Sadwrn.

Wncwl Grub yn egluro beth mae cymysgydd o Rwsia'n gallu'i wneud.

Aros eiliad, nid rhan o freuddwyd yw'r llais olaf 'na. Dw i'n gwbl effro nawr a dw i'n gallu clywed llais Wncwl Grub yn atseinio o gwmpas y buarth y tu allan.

O na.

Dw i'n baglu allan o ddryswch y cynfasau, yn dringo'n drwsgl ar wely Chantelle, yn llusgo'r llenni ar agor ac yn gwthio fy mhen allan o'r ffenest.

'Ow,' cwyna Chantelle. 'Rwyt ti'n sefyll ar fy stumog i.'

Dw i'n gwybod sut mae hi'n teimlo. Mae fy mherfedd i'n gwneud dolur hefyd. Yn fy achos i, oherwydd yr hyn dw i'n ei weld.

Mae fan fawr ddu Wncwl Grub wedi'i pharcio wrth ddrws ochr y neuadd fwyta. Mae Wncwl Grub wrthi'n sgwrsio â Dave y gwarchodwr. Mae'r ddau'n archwilio cymysgydd.

'Llafnau cryf dros ben,' mae Wncwl Grub yn ei ddweud. 'Wedi'u gwneud i dorri erfin a betys a'r holl stwff arall 'na o Rwsia.'

Dw i'n llamu oddi ar stumog Chantelle ac yn dechrau gwisgo'n frysiog. Mae'r tair merch yn syllu'n gysglyd allan o'r ffenest.

'O ych a fi,' medd Veuve. 'Edrych ar wallt hir seimllyd dyn y fan ddosbarthu.'

Dw i'n taflu fy hunan i lawr y grisiau ac yn rhedeg fel mellten ar draws y buarth am y fan. Mae Dave y gwarchodwr yn cerdded yn hamddenol i'w ystafell ac mae cymysgydd o dan ei fraich. Dw i'n gweddïo na fydd e'n penderfynu gweld a oes treth mewnforio wedi'i thalu arno.

Hyd yma does neb arall o gwmpas.

'Wncwl Grub,' meddaf drwy fy nannedd. 'Beth wyt ti'n wneud 'ma?'

Mae Wncwl Grub yn dod allan o gefn y fan, a gwên fawr ar ei wyneb.

'Bore da, blodyn,' medd ef. 'Sut mae'r ysgol smart?'

Mae'n rhoi cusan ar fy mhen ac mae arogl ei bersawr o Bosnia yn fy atgoffa o nifer o brynhawniau hapus fel teulu yn yr ardd gefn, gyda thennis bwrdd a bisgedi siocled o Fwlgaria. Felly dw i'n anghofio am eiliad y gallai ddifetha popeth i ni drwy fod yma.

Wedyn dw i'n cofio.

'Dyw hi ddim yn ddiogel,' meddaf o dan fy ngwynt.

'Ymlacia, cariad,' medd Wncwl Grub. 'Dw i wedi dod â rhywbeth bach i ti. Dy dad gafodd y syniad wrth yrru adref o fan hyn neithiwr. Mae e yn y dociau'r bore 'ma, felly fe ofynnodd i mi wneud.'

Alla i ddim ymlacio. Mae fy mherfedd yn teimlo fel petai Chantelle, Antoinette a Veuve i gyd yn neidio arno, a Gandalf, Brad a Muffy hefyd.

Mae'r fan yn llawn dop o gymysgyddion o Rwsia. Mae Wncwl Grub yn tynnu un o'r bocs, yn ei dynnu o'r bag plastig ac yn ei archwilio'n ofalus.

'Un peth am gymysgyddion o Rwsia,' medd ef, 'Mae'n rhaid gwneud yn siŵr nad ydyn nhw wedi rhydu.'

'Beth wyt ti'n feddwl, dy fod ti wedi dod â rhywbeth i mi?' crawciaf.

'I gael dy helpu i setlo lawr,' medd Wncwl Grub. 'Anrheg fach i'r athrawon. Fe fyddan nhw'n dwlu arnat ti pan welan nhw sut mae'r pethau 'ma'n torri betys.'

O gwmpas ein traed mae bocsys cymysgyddion a bagiau plastig gwag. Mae cefn y fan wedi'i pharcio wrth ddrws ochr agored y neuadd fwyta. Dw i'n syllu i mewn. Ym mhen draw'r neuadd mae'r bwrdd hir lle mae'r athrawon yn cael eu brecwast. Does dim un o'r athrawon yno eto, ond wrth ymyl pob powlen frecwast wag mae cymysgydd o Rwsia.

'Brysia,' meddaf wrth Wncwl Grub. 'Mae rhyw bum munud gyda ni cyn i'r athrawon ddechrau cyrraedd.'

'Beth sy'n bod?' medd Wncwl Grub, yn bryderus. 'Oes rhwd ar un ohonyn nhw?'

Cyn i mi ruthro i'r neuadd fwyta a dechrau casglu'r cymysgyddion, mae llais yn atseinio ar draws y buarth.

'Miss White, dewch yma am eiliad os gwelwch yn dda.'

Mae Mr Galbraith yn camu'n fras tuag aton ni, a'i ben ar ei ochr yn amheus. Dw i'n gallu gweld ei fod e'n meddwl tybed pwy yw Wncwl Grub.

'Y prifathro yw e,' meddaf o dan fy ngwynt wrth Wncwl Grub.

'Bore da, capten,' medd Wncwl Grub, gan gamu ymlaen ac ysgwyd llaw Mr Galbraith. 'Ymddiheuriadau am alw draw mor gynnar. George White. Ewythr i Bridget.'

Mae Wncwl Grub yn estyn cymysgydd o Rwsia i Mr Galbraith.

'Ar ran y teulu White,' medd Wncwl Grub,

'ry'n ni'n gobeithio y gwnewch chi dderbyn y cymysgydd hwn o safon. I fynegi ein diolch am y gofal da ry'ch chi'n ei roi i Bridget, a symbol o'i dyhead i gymysgu'n hapus â'r myfyrwyr a'r staff yn yr ysgol wych hon.'

Mae Mr Galbraith yn syllu ar y cymysgydd. Yna'n ofalus, mae'n ei gymryd.

'Diolch,' medd ef. 'Mae hyn ychydig yn anarferol, ond ry'ch chi'n garedig iawn. Fe rof i fe i gegin yr ysgol. Dw i'n falch o weld dy fod ti'n ymgartrefu'n dda, Bridget. Braf cwrdd â chi, Mr White. Hwyl nawr.'

Mae Mr Galbraith yn cerdded ar draws y buarth, gan archwilio'r cymysgydd.

'Ti'n gweld,' medd Wncwl Grub, gan wenu arna i. 'Does dim byd yn hwyluso dy lwybr di drwy fywyd fel cymysgydd o Rwsia.'

Dw i'n edrych yn ofidus i mewn i'r neuadd fwyta. Mae athrawon yn dechrau cyrraedd nawr, maen nhw'n codi eu cymysgyddion ac yn syllu arnyn nhw. Mae plant yn cyrraedd hefyd, ac yn syllu ar yr athrawon.

Mae Wncwl Grub yn codi'r bocsys a'r bagiau plastig gwag ac yn eu taflu i gefn y fan.

'Alli di ddim bod yn rhy ofalus,' medd ef. 'Mae bagiau plastig yn gallu bod yn beryglus pan fydd plant o gwmpas.'

Ac mae ewythrod yn gallu bod yn beryglus hefyd, meddyliaf yn ddiflas.

'Mae'n rhaid i mi ei throi hi,' medd Wncwl

Grub, gan gau drws y fan. 'Mae rhyw fachan yn dod draw â radio digidol mae e eisiau help gyda fe.' Mae'n rhoi cusan ar fy mhen ac yn dweud yn dawel yn fy nghlust. 'Does dim angen i ti deimlo cywilydd o'r teulu fan hyn, Bridget. O'u cymharu â rhai o'r teuluoedd eraill yn y lle 'ma, ry'n ni'n angylion.'

'Dw i'n gwybod,' meddaf.

Mae Wncwl Grub yn mynd i mewn i'r fan. 'Fe welwn ni ti ar y penwythnos,' medd ef. 'Bydd yn ferch dda.'

I ffwrdd ag ef ac mae'r llwch o'i olwynion yn troelli o'm cwmpas. Ac mae teimladau trist yn troelli y tu mewn i minnau hefyd.

Fydda i byth yn teimlo cywilydd o achos fy nheulu. Mae Dad yn werth y byd, yn ceisio gwneud pethau'n well i mi yma. Ond dw i'n dal i boeni. Mae'r bobl yn yr ysgol hon yn dechrau amau'n barod. Mae'r neuadd fwyta'n llawn o athrawon a phlant sy'n siarad am y cymysgyddion ac yn edrych yn rhyfedd arna i. Alla i ddim gadael i ragor o wybodaeth amdanon ni ddod allan.

Dyna pam mae'n rhaid i mi ddweud wrth Menzies nad yw e'n cael dod i barti pen-blwydd Dad.

////// ////

Dw i'n brysio ar hyd y coridor i ystafell Menzies.

Yn fy mhen dw i'n ymarfer beth dw i'n mynd i'w ddweud wrtho. Bod Mam a Dad wedi cael eu galw i Turkmenistan ar fusnes. Bod y parti penblwydd wedi cael ei ganslo. Fy mod i'n mynd adref ar y penwythnos dim ond i roi bwyd i'r pysgodyn aur.

O ddifri, dim ond ers tridiau dw i wedi bod yn yr ysgol 'ma a dw i'n dweud celwydd yn barod.

Dw i'n casáu dweud celwydd ond mae'n rhaid i mi.

Wrth i mi fynd heibio i'r ystafell nesaf at un Menzies, dw i'n clywed sŵn cymysgydd o Rwsia'n cymysgu'n wyllt. Does dim athrawon yn byw ar y llawr hwn, felly mae'n rhaid mai ystafell Dave y gwarchodwr yw hi. Gobeithio ei fod e'n dal y clawr yn dynn. Dyna un peth arall am gymysgwyr o Rwsia. Mae'r cloriau'n dod yn rhydd.

Dw i'n curo ar ddrws Menzies.

Ar ôl ychydig mae'n ei agor.

61

'Helô,' medd ef, gan rythu arna i.

Dw i wedi drysu. Ydy Menzies yn gwybod beth dw i'n mynd i'w ddweud. Sut gall e?

'Dere mewn,' medd Menzies yn flin a chrac.

Am eiliad dw i'n meddwl tybed a yw'r plant o'r dosbarth wedi bod 'nôl. Ond pan dw i'n camu i mewn i'r ystafell dw i'n gweld hambwrdd brecwast heb ei gyffwrdd, a nesaf ato mae amlen, wedi'i rhwygo ar agor.

Mae Menzies yn dal dalen o bapur crychlyd.

'Beth sy'n bod?' gofynnaf.

'Dw i wedi cael llythyr arall,' medd ef.

'O'r ganolfan cadw ffoaduriaid?' meddaf.

Mae'n aros, a rhythu arna i eto.

'Rwyt ti'n meddwl mai dwli yw'r cyfan, siŵr o fod,' medd ef. 'Fel pawb arall fan hyn.'

'Nac ydw,' meddaf yn dawel. 'Dw i ddim yn meddwl hynny.'

Am eiliad dw i'n cael fy nhemtio i ddweud yr hyn dw i'n ei deimlo am garchardai. Rwyt ti'n treulio llawer o amser yn meddwl amdanyn nhw pan fydd dy frawd yn un ohonyn nhw. Ond dw i'n penderfynu peidio mentro.

Mae Menzies yn edrych yn welw a nerfus. Dyw e ddim yn edrych fel rhywun sy'n ysgrifennu at y ffoaduriaid i gael rhywbeth ei hunan. Mae'n edrych fel rhywun sy'n poeni cymaint amdanyn nhw fel nad yw e'n bwyta'n iawn, hyd yn oed.

'Pam na chymri di damaid o frecwast?' awgrymaf.

Mae Dad yn dweud bod popeth yn y byd yn ymddangos yn waeth heb frecwast.

Dw i'n mynd â darn o dost o hambwrdd brecwast Menzies ac yn ei gynnig iddo. Mae'n cydio ynddo ac yn ei daflu ar draws yr ystafell. Naill ai mae'n casáu tost neu mae'n hynod o flin a chrac.

'Dyw hi ddim yn deg,' medd ef. 'Dyw'r ffoaduriaid ddim wedi gwneud dim o'i le. Ddylen nhw ddim cael eu cadw o dan glo. Nid lladron na throseddwyr ydyn nhw.'

Dw i ddim yn gwybod beth i'w ddweud.

'Gwranda ar hyn,' medd Menzies. Mae'n llyfnhau'r llythyr ac yn darllen.

'Mae llywodraeth Awstralia yn dweud ein bod ni'n ceisio neidio i flaen y ciw, ond dyw hynny ddim yn wir. Yn Afghanistan roedd pawb yn sefyll mewn ciw heblaw am y bobl oedd yn cael eu saethu. Yn y ganolfan gadw yma ry'n ni hefyd yn ciwio. Am sebon, am fwyd, am ddŵr. Mae pobl sydd â phen tost yn gorfod ciwio am ffisig. Ond dy'n ni ddim yn cwyno achos os gwnawn ni mae'r gwarchodwyr yn gweiddi arnon ni a dyw hynny ddim yn beth da i'r bobl â phen tost.'

'Mae hynna'n ofnadwy,' meddaf.

Ydy, wir. Dyw Gavin ddim yn gorfod ciwio am dabledi, hyd yn oed. Pan fydd pen tost ganddo, dim ond curo ar ddrws y gell a gweiddi sydd raid iddo, ac mae gwarchodwr yn dod â thabledi pen tost iddo.

Mae Menzies yn darllen rhagor.

'Mae'n flin gen i os yw rhai o'r geiriau yma'n anghywir, Menzies. Mae'r person caredig sy'n fy helpu i ysgrifennu'r llythyr hwn yn drist iawn. Mae ei wraig a'i ddwy ferch wedi boddi ar y fordaith i Awstralia. Weithiau mae ei ddagrau'n cwympo ar y llythyr. Mae'n ymddiheuro am y marciau gwlyb.'

Mae llais Menzies yn crynu. Mae'n rhoi'r gorau i ddarllen ac yn edrych ar ei uwd. Dw i ddim eisiau iddo weld fy mod i wedi sylwi ar y cryndod yn ei lais rhag ofn iddo deimlo embaras, felly dw i'n dweud rhywbeth yn gyflym.

'Ai fe yw'r un dyn a anfonodd y llythyr arall, yr un oedd gyda ti yn y dosbarth ddoe?'

Mae Menzies yn nodio.

Dw i'n meddwl tybed pam mae'n rhaid i ganolfan gadw fod yn waeth na charchar hyd yn oed.

'Ond,' medd Menzies, 'nid dyn yw e, plentyn yw e.'

Dw i'n syllu arno. Roeddwn i wedi cael sioc o'r blaen, ond nawr dw i wedi cael sioc enfawr.

'Plentyn?' meddaf.

'Jamal yw ei enw fe,' medd Menzies. 'Mae e'r un oedran â ni.'

'Ond mae hynny'n amhosibl,' meddaf. 'Dyw plant ddim yn cael eu cloi i fyny.'

'Mae llawer ohonyn nhw yn y canolfannau cadw,' medd Menzies. 'Mae chwaer fach gan

Jamal, Bibi. Mae ei dannedd hi wedi bod yn gwynio bob hyn a hyn am y mis diwethaf.'

Mae fy mhen yn troi.

Mae Menzies yn darllen rhagor o lythyr Jamal.

'*Dyw'r bobl sy'n rhedeg y ganolfan gadw yma ddim yn rhoi anrheg i'r gwarchodwyr ar eu pen-blwydd. Dim rhyfedd fod y gwarchodwyr yn aml yn chwerw a chas. Felly dw i a Bibi'n gwneud anrhegion iddyn nhw. Dw i'n gwneud peli pêl-droed o fagiau plastig a llinyn o'r garthen sydd gyda fi. Mae Bibi yn gwneud llewod bychain o borfa sych a llwch a phoer. Ry'n ni'n gobeithio y bydd hyn yn gwneud y ganolfan gadw yn hapusach ac yn codi calon Mam a Dad. Maen nhw'n drist achos bod llywodraeth Awstralia yn gwrthod dweud pa mor hir mae'n rhaid i ni aros yn y carchar.*'

Mae Menzies yn aros eto.

Y tro hwn, fi yw'r un sy'n methu siarad.

Dw i'n meddwl am rywbeth mae Gavin wedi'i ddweud wrthyf ambell dro. Yr unig beth sy'n ei gadw i fynd yn y carchar yw cyfri'r dyddiau. Gwybod yn union faint o amser sydd ganddo ar ôl.

Dychmyga dy fod ti ddim yn gwybod pryd rwyt i'n mynd i fod yn rhydd.

Dychmyga dy fod ti ddim yn gwybod a fyddi di byth yn rhydd.

Mae Jamal yn iawn, dyw hynny ddim yn deg.

'Beth wnaethon nhw?' gofynnaf. 'I gael eu cadw dan glo fel yna?'

Mae Menzies yn mynd i'w ddesg, yn tynnu bwndel o lythyrau allan o'r drôr ac yn eu cynnig i mi. 'Fe geisiodd y llywodraeth yn Afghanistan eu lladd nhw. Chwython nhw eu tŷ nhw i fyny.'

Dw i'n chwibanu.

Fyddai'r heddlu cudd hyd yn oed ddim yn gwneud hynny fan hyn.

Dw i ddim yn cymryd y llythyrau oddi wrth Menzies. Gwell peidio dechrau ymwneud gormod. Ond mae rhywbeth mae'n rhaid i mi ei ofyn.

'Pam chwythodd y llywodraeth eu tŷ nhw i fyny?' meddaf. 'Ydyn nhw'n deulu o droseddwyr?'

Mae Menzies yn ysgwyd ei ben. 'Roedd rhieni Jamal a Bibi'n rhedeg ysgol yn eu cartref.'

Alla i ddim credu'r peth. Y gosb eithaf am redeg ysgol, a dim mwy. Dygodd Gavin gloc cwcw hynod o ddrud a chyffesu i bum deg tri o droseddau tebyg a dim ond chwe mis gafodd e.

'Dihangodd y teulu o Afghanistan,' medd Menzies. 'Roedden nhw'n ceisio dianc cyn belled ag y gallen nhw, felly ceision nhw ddod i Awstralia. Fe roddodd llywodraeth Awstralia nhw mewn canolfan gadw, ar ynys yn rhywle gyntaf, ac wedyn yn yr anialwch fan hyn.'

Yn sydyn dw i ddim eisiau clywed rhagor.

Yn sydyn mae'r holl beth yn gwneud i mi deimlo'n sâl.

Yr unig beth sydd wedi fy nghadw i fynd yr holl

flynyddoedd hyn, y darn bach o newyddion da dw i'n ei adrodd wrthyf fy hunan bob tro y byddaf yn gorwedd ar ddihun yn poeni am waith Mam a Dad, yw nad yw plant yn cael eu carcharu. Felly hyd yn oed os bydd yn rhaid i Mam a Dad fynd i'r carchar byth, gallaf aros y tu allan a gofalu am bethau. Gofalu am y tŷ a'r anifeiliaid anwes, a mynd â chacennau i Mam a Dad wrth ymweld â nhw.

'Rhaid bod camgymeriad,' meddaf. 'Rhaid bod y llywodraeth wedi gwneud camgymeriad gyda'r gwaith papur. Mae dy dad yn weinidog yn y llywodraeth. All e ddim gwneud rhywbeth? Rhoi parôl i'r plant neu rywbeth?'

Mae Menzies yn rhoi ochenaid ddofn.

'Dw i'n gwneud fy ngorau,' medd ef. 'Dw i'n gofyn iddo, ond dim ond dadlau fyddwn ni yn y diwedd. Mae e'n dweud fy mod i'n rhy ifanc i ddeall. Dw i'n dweud wrtho fod plentyn tair blwydd oed yn gwybod na ddylech chi garcharu plant dieuog. Mae fy mam yn torri ar draws ac yn dweud wrthyf am beidio â siarad fel 'na â 'nhad. Mae'n anodd iawn i mi geisio eu cael nhw i wrando ar y ffôn.'

'Pam na wnei di siarad ag e wyneb yn wyneb?' meddaf.

'Pryd?' mynna Menzies, gan ddechrau mynd yn flin a chrac eto.

'Roedd hi'n wyliau bedwar diwrnod 'nôl,'

meddaf, wedi drysu. 'Pam na ofynnaist ti iddo fe bryd hynny?'

Dyw Menzies ddim yn ateb, a dw i'n meddwl tybed a oes ganddo gyfrinachau am ei deulu wedi'r cyfan. Neu os yw bwyta uwd i frecwast yn dy wneud di braidd yn dwp.

Wedyn mae e'n ateb. 'Welais i mo fy rhieni dros y gwyliau 'ma,' medd ef. 'Roedden nhw dramor ar daith fasnach.'

Mae e'n edrych mor drist, dw i eisiau rhoi fy mreichiau amdano. Ond dw i ddim yn gwneud achos mai adeilad y bechgyn yw hwn a dw i ddim i fod yma hyd yn oed.

'Beth wnest ti?' gofynnaf. 'Aros yma?'

'Paid â bod yn ddwl,' medd Menzies. 'Pwy fyddai eisiau bod yn yr ysgol adeg y gwyliau? Arhosais i gyda fy ewythr a fy modryb ar eu fferm nhw. Dy'n nhw ddim yn hoff iawn ohono i. Maen nhw'n meddwl y dylai llongau ffoaduriaid gael eu suddo. Am yr ychydig ddiwrnodau diwethaf aeth Dad i ymweld â'i fam yn Canberra. Roedd rhaid i mi ddod 'nôl i'r ysgol mewn car heddlu.'

Dw i'n ceisio dychmygu sut byddai hi, heb weld dy rieni yn ystod y gwyliau. Dim ond perthnasau cas a swyddog sydd wedi'i hyfforddi i ladd.

O gymharu â Menzies, dw i'n lwcus. Mae gen i Mam a Dad.

'Nid bai fy rhieni yw e,' medd Menzies. 'Maen nhw'n gwneud gwaith pwysig iawn dros Awstralia. Dw i'n falch iawn ohonyn nhw.'

Dw i'n edrych arno'n ofalus i weld a yw e'n dweud y gwir.

Dyw e ddim yn edrych arna i mwyach, mae e'n syllu ar ei uwd unwaith eto.

'Ond trueni nad oes mwy o amser rhydd gyda nhw,' medd ef.

Mae'n ceisio cuddio'r peth, ond galla i weld ei lygaid y tu ôl i'w sbectol mawr. Dw i'n gallu gweld pa mor hiraethus ydyn nhw.

Yn sydyn dw i'n gwybod na alla i.

Dw i'n methu dweud celwydd.

Fe fydd hi'n dipyn o fenter, ond fe ddôn ni drwyddi rywsut.

'Mae fy rhieni wir yn dy hoffi di, Menzies,' meddaf. 'Maen nhw wir yn edrych ymlaen at dy weld di yn y parti ddydd Sadwrn.

'Cymer hwnna, y plismon drama,' gwaedda Dad.

Mae'n rholio allan o'r tu ôl i'r bwrdd coffi, yn anelu ei ddryll at Dave y gwarchodwr, ac yn saethu.

'Na,' sgrechia Mam.

Mae Dad yn methu ei daro.

Dw i'n cuddio. A phawb arall yn yr ystafell.

Mae Dave yn neidio y tu ôl i'r soffa, gan saethu 'nôl.

Mae e'n taro Dad yn ei ben.

Mae Dad yn cwyno ac yn syrthio 'nôl yn erbyn y bwrdd coffi. Dw i'n taflu fy hunan ar draws yr ystafell tuag ato, ond mae'n rhy hwyr. Mae potel gwrw ar y bwrdd coffi yn cwympo ar y carped. Drwy lwc, mae hi'n wag.

'Aw,' medd Dad, gan rwbio'i ben. 'Roedd hwnna'n boenus.'

Mae'r rhan fwyaf ohonon ni'n chwerthin achos mae e'n edrych yn ddoniol â saeth fach blastig yn sownd wrth ei dalcen.

'Fe fuest ti bron â bwrw'r diodydd lawr,' medd Mam.

'Sori,' medd Dad.

Mae fy nghefndryd, sydd i gyd o dan chwech oed, yn syllu'n bryderus ar ben Dad. Mae Wncwl Ollie, oedd yn arfer bod yn nyrs cyn iddo fynd i weithio yn y maes awyr yn symud bagiau, yn syllu arno hefyd.

'Felly, Dave,' medd ef. 'Dyna lle ry'ch chi fechgyn yn cael eich hyfforddi i saethu gyntaf?'

Mae Dave yn rholio'i lygaid wrth godi ei hunan o'r tu ôl i'r soffa. 'Dw i ar ddyletswydd. Fe gytunon ni, dim cwestiynau personol, o'r gorau?'

'Eitha reit,' medd Dad, gan edrych yn gas ar Wncwl Ollie. Mae'n tynnu'r saeth blastig oddi ar ei ben. Mae'r blaen rwber yn gwneud sŵn pop uchel.

Mae pawb yn chwerthin eto, Dad a'r cefndryd bach hefyd.

Dw i'n chwerthin mwy na neb achos dw i mor nerfus. Plismon yn ein tŷ ni. Un camgymeriad, a byddwn ni'n cael parti pen-blwydd Dad yn y carchar y flwyddyn nesaf.

Ond mae popeth yn iawn hyd yn hyn. Cafodd Dad air â phawb i ddweud wrthyn nhw am fod yn ofalus beth maen nhw'n ddweud. Dyw Wncwl Grub hyd yn oed ddim wedi rhoi ei droed ynddi eto, er fy mod i'n bersonol yn meddwl iddo fod braidd yn ddiofal wrth roi drylliau cowboi plastig i Dad ar ei ben-blwydd.

'Hei, George,' medd Dad, gan chwifio'r saethau plastig ar Wncwl Grub. 'Ro'n i'n meddwl nad oedd y pethau hyn i fod i roi dolur.'

'Paid â rhoi'r bai arna i, Len,' medd Wncwl Grub, a gwenu. 'O dy warws di maen nhw 'di dod.'

Mae pawb yn chwerthin eto, heblaw amdana i.

Alla i ddim credu'r peth. Soniodd Wncwl Grub am y warws.

Drwy lwc, mae Dave yn poeni mwy am dynnu fflwff carped oddi ar ei siwmper. Cyn iddo allu gofyn beth arall sydd yn y warws ac a oes gan Dad bapurau mewnforio i bopeth, dw i'n mynd ato gyda phlât o vol-au-vents corgimwch. Cyn hir, mae Dave yn cnoi'n hapus ac yn siarad â Mam.

Dw i'n sefyll wrth ymyl Mam gyda'r plât. Dyw hi ddim yn hoffi corgimwch ond dw i eisiau clywed beth maen nhw'n ddweud. Mae Mam wedi bod yn edrych braidd yn emosiynol heddiw. Dw i'n meddwl bod hynny achos nad yw Gavin yn gallu bod yma ar ben-blwydd Dad.

'Parti da, Mrs White,' medd Dave.

'Galwch fi'n Roz,' medd Mam. 'Mae'n bleser eich cael chi a Menzies yma. Y tro nesaf gobeithio y gall rhieni Menzies ddod hefyd.'

Mae Dave yn rhoi'r gorau i gnoi. 'Dw i ddim yn gwybod am hynny,' medd ef, gan edrych yn amheus.

'Efallai gall Menzies ofyn iddyn nhw,' awgryma Mam.

Mae Dave yn gwgu. 'Mae ei dad yn brysur iawn. Ei fam yw'r un sydd wedi ei fagu fe fwyaf. Ond dyna ni, mae bachgen yn lwcus iawn os oes mam gyda fe i ofalu amdano.'

Dw i'n sylweddoli bod Mam yn cnoi ei gwefus, yn ceisio rheoli ei theimladau. Mae hi'n meddwl am Gavin.

Dw i'n gwthio'r plât o vol-au-vents ar Dave eto i dynnu ei sylw.

Mae Del, gwraig Wncwl Ollie'n dod draw ac yn mynd â Mam allan i'r ardd. Mae Dave yn gwylio Mam yn mynd, a gwgu. Dw i'n gwthio'r plât i'w stumog.

'Hoffech chi gael vol-au-vent arall?' gofynnaf. Dysgais i'r gair gan Antoinette yn y gwersi coginio.

Yn lle ateb, mae Dave yn edrych o gwmpas yn sydyn.

'Ble mae Menzies?' medd ef.

Dw i'n sylweddoli ag arswyd nad yw Menzies yn yr ystafell. Mae'r prif westai wedi crwydro.

'Fe welais i fe'n mynd lan lofft,' medd Wncwl Ray.

'Wedi mynd i'r tŷ bach, siŵr o fod,' medd Bernie, gwraig Wncwl Ray.

'Fe ddof i o hyd iddo fe,' meddaf. Dw i'n rhoi'r plât yn nwylo Dave ac mae saws pinc yn tasgu ar ei grys, ac wrth iddo fe ei lanhau dw i'n neidio i fyny'r grisiau.

Y peth diwethaf ry'n ni eisiau yw cael plismon

yn crwydro lan lofft. Mae'n ddigon gwael bod Menzies yma. Y tro diwethaf edrychais i roedd sosbennau brys o Iraq yn ystafell Gavin a brwsys dannedd trydan byddin America o dan wely Mam a Dad. Dw i'n credu bod past dannedd byddin America yn y cabinet yn yr ystafell ymolchi hefyd.

Dw i'n curo'n wyllt ar ddrws yr ystafell ymolchi.

'Menzies,' meddaf drwy fy nannedd.

Mae'r bachgen 'na'n gallu bod yn boen weithiau. Dwedodd Dad yn ddigon plaen fod pawb i ddefnyddio'r tŷ bach lawr llawr.

Dim ateb. Dw i'n agor drws yr ystafell ymolchi. Dyw Menzies ddim yno.

'Menzies,' meddaf yn uwch.

Os yw e'n chwilota o dan wely Mam a Dad, bydd rhaid i mi roi ergyd ar ei ben â sosban frys a gobeithio na fydd e'n cofio beth welodd e wedyn.

O'r gorau, fyddwn i ddim yn gwneud hynny wir. Mae Dad yn casáu trais yn fwy na rhegi hyd yn oed.

Yn sydyn dw i'n clywed llais Menzies, yn uchel a chrac, yn dod o f'ystafell i. Dw i'n rhuthro i mewn. Mae Menzies yn eistedd ar y llawr, yn gweiddi i'w ffôn symudol.

'Does dim ots gyda ti, oes e? Does dim ots gyda ti bod plant diniwed yn dioddef. Wel, fe alli di ddweud wrth Dad na fydda i'n pleidleisio drosto fe pan fydda i'n ddeunaw. Byth bythoedd.'

Mae e'n cau'r ffôn yn glep ac yn ei daflu ar

draws yr ystafell. Mae'n syrthio 'nôl yn erbyn fy ngwely. Wedyn mae e'n sylweddoli fy mod i yn yr ystafell. Mae e'n edrych arna i, a'i lygaid yn flin a chrac y tu ôl i'w sbectol.

Yn sydyn dw innau'n teimlo'n flin a chrac hefyd.

'Os oeddet ti eisiau treulio'r penwythnos yn siarad â dy rieni,' meddaf, 'pam dest ti yma?'

A rhoi cymaint o straen arna i, dw i eisiau ychwanegu. Fel y bydd rhaid i mi gymryd tabledi pwysau gwaed erbyn y bydda i'n dri deg oed, fel Wncwl Ollie.

Dw i ddim yn dweud hynny. Dyw Menzies ddim i fod i wybod bod rheswm i mi fod o dan straen. Dw i'n ceisio peidio rhythu'n gas arno.

'Dw i wedi cael llythyr arall oddi wrth Jamal,' medd Menzies yn dawel. 'Mae pethau'n gwaethygu.'

'Beth wyt ti'n feddwl?' gofynnaf.

'Mae'r gwarchodwyr yn y ganolfan gadw'n gwrthod credu bod dannedd Bibi'n gwynio,' medd ef. 'Fe edrychodd deintydd arni pan nad oedd ei dannedd hi'n gwynio ac fe ddywedodd e mai esgus roedd hi.'

'Doedd y pelydr X ddim yn dangos y broblem?' gofynnaf.

'Does dim pelydr X gyda nhw mewn canolfannau cadw,' medd Menzies. 'Mae'n rhaid i ti fynd i ysbyty i gael hynny. Mae gan Jamal gynllun i fynd â Bibi yno.'

Dw i'n sylweddoli fy mod i'n gobeithio nad yw e'n gynllun peryglus.

'Gêm bêl-droed,' medd Menzies. 'Ac os nad yw hynny'n gweithio, ympryd.'

Mae pethau'n waeth nag oeddwn i'n ei ddychmygu.

'Rwyt ti'n gwybod beth yw ympryd,' medd Menzies. 'Pan fydd pobl yn gwrthod bwyta dim.'

'Dw i'n gwybod beth yw ympryd,' meddaf.

Fe geisiais i ymprydio unwaith pan oeddwn i tua thair oed. Ond y cyfan wnaeth Mam oedd cydio yn fy nhrwyn a gwthio'r bwyd i'm ceg. Dydyn nhw ddim yn gwneud hynny gydag oedolion. Maen nhw'n gwneud rhywbeth llawer gwaeth. Aeth un o'r carcharorion yn rhan Gavin o'r carchar ar ympryd a dywedodd Gavin wrtha i beth ddigwyddodd.

'Dyw ympryd ddim yn syniad da,' meddaf.

'Dw i'n gwybod,' medd Menzies, a'i wyneb yn welw gan bryder. 'Fe allet ti ddioddef o ddiffyg maeth. Fe allet ti farw hyd yn oed.'

Mae Menzies druan yn edrych mor drist dw i ddim yn mentro dweud wrtho beth arall allai ddigwydd.

Dw i'n codi ffôn Menzies oddi ar lawr fy ystafell wely.

'Ffonia Jamal,' meddaf. 'Ceisia ei berswadio i beidio ag ymprydio.'

Mae Menzies yn ysgwyd ei ben.

'Anfon neges e-bost ato, 'te,' meddaf.

'Dim ond llythyrau mae pobl yn ei ganolfan gadw fe'n cael eu derbyn,' medd Menzies. 'Dydd Sul yw hi felly chaf i ddim ysgrifennu ato fe tan yfory.'

Rydyn ni'n edrych yn ddiflas ar ein gilydd.

Mae Menzies yn rhoi'r llythyr diweddaraf oddi wrth Jamal i mi. Wedyn mae e'n mynd lawr y grisiau i ddangos i Dave nad yw e wedi cael ei herwgipio gan derfysgwyr neu bleidleiswyr sydd eisiau i'r post gael ei gasglu ar ddydd Sul.

Dw i'n fy nghloi fy hunan yn yr ystafell ymolchi ac yn darllen.

Annwyl Menzies,

Rhoddais i a Bibi ei anrhegion pen-blwydd i un o'r gwarchodwyr ddoe. Pêl-droed a llew.

'Pen-blwydd hapus, syr,' medden ni.

'Diolch 5603 a 5604,' meddai'r gwarchodwr.

Trueni iddo ddweud hynny. Mae Bibi'n casáu cael ei galw wrth ei rhif. Fe gipiodd hi'r llew 'nôl a'i daflu i gwpan coffi'r gwarchodwr. Roedd rhaid i ni dreulio gweddill y dydd yn ein hystafell. Roeddwn i'n gallu arogli'r bêl-droed yn llosgi yn y llosgydd.

Dw i ddim eisiau rhoi'r gorau iddi.

Dywedodd Syr Alex Ferguson, rheolwr Manchester United, mai cyfrinach pêl-droed yw peidio â rhoi'r gorau iddi hyd yn oed os yw pethau'n edrych yn anobeithiol. Dw i'n credu mai dyna yw'r gyfrinach er mwyn gallu goroesi mewn canolfan gadw hefyd.

Mae gen i syniad newydd.

Dw i'n trefnu gêm bêl-droed rhwng y ffoaduriaid a'r gwarchodwyr. Mae pêl-droed yn ffordd dda o wneud ffrindiau a chodi calon pobl, hyd yn oed rhieni sy'n mynd yn isel iawn eu hysbryd.

Mae rhai problemau. Mae fy morddwyd yn dal yn boenus lle ciciodd môr-leidr fi ar ein taith i Awstralia. Mae nifer o'r chwaraewyr pêl-droed eraill wedi'u hanafu hefyd, neu'n methu cysgu. Ac mae rhai o'r gwarchodwyr yn casáu pêl-droed ac yn gwneud hwyl am ein pennau pan fyddwn ni'n

chwarae. Dw i'n gobeithio y byddan nhw'n newid
eu meddwl ar ôl chwarae.

Dw i'n gobeithio hynny achos mae dant Bibi'n
gwynio'n aml ond dyw'r gwarchodwyr ddim yn ei
chredu hi. Doedd y deintydd ddim yn gallu dod o
hyd i achos y boen a rhoddodd y gorau i chwilio
pan alwodd Bibi fe'n gaca camel.

Mae angen pelydr X arni mewn ysbyty.

Dw i'n credu y bydd y gwarchodwyr yn cytuno
ar ôl iddyn nhw chwarae pêl-droed â hi.

Ond rhag ofn na fyddan nhw, mae gen i gynllun
arall. Cynllun ymprydio. Dw i wedi gweld pobl
yn y ganolfan gadw yma'n rhoi'r gorau i fwyta
am nifer o ddiwrnodau neu hyd yn oed
wythnosau, ac wedi'r amser hwnnw maen nhw'n
mynd â nhw i'r ysbyty.

Os bydd yn rhaid i ni, bydd rhaid i Bibi a
minnau wrthod bwyta. Dw i'n mynd i hefyd
achos alli di ddim gofyn i dy chwaer fach wrthod
bwyta os na wnei di. Ar ôl nifer o ddyddiau neu
wythnosau bydd llywodraeth Awstralia'n gwybod
bod dannedd Bibi wir yn gwynio achos pwy
fyddai'n gwrthod bwyta pe na bai ganddyn nhw
neu eu chwaer ddannedd sy'n gwynio?

Gobeithio na fydd rhaid i ni wneud hyn. Dw i'n
gwybod y bydd llwgu'n boenus iawn ond fe
fyddwn ni'n goroesi oherwydd pobyddion a
rhyfelwyr yr anialwch oedd ein hynafiaid ni ac
roedden nhw'n bobl galed iawn. Hefyd rydyn ni'n
teimlo'n gryf achos dy fod ti'n ffrind i ni, Menzies.

Gobeithio bod dy deulu di'n iach ac yn ddiogel. Beth yw gwaith dy dad? Gyrrwr tacsi yw Dad, ond nawr mae e'n ciwio gyda fy mam am fwyd i mi a Bibi. (Rwyt ti'n gwybod sut rai yw rhieni.) Hefyd mae e'n ysgrifennu llawer o lythyrau i'r Llyfrgell Genedlaethol i geisio dysgu am gyfraith Awstralia er mwyn i ni gael dod allan o'r fan hon.

Dy ffrind,
Jamal

Dw i'n gorwedd yn fy ngwely, yn syllu i'r tywyllwch.

I lawr y grisiau yn yr ystafell fyw mae'r cloc cwcw o Fwlgaria yn taro hanner nos.

Trueni na allwn i aros fan hyn am byth, yn cwtsio'n ddiogel a chynnes o dan y cwilt, a'm bol yn llawn o grymbl afal a bisged siocled Mam, a'm gwefusau'n blasu o bast dannedd byddin America Dad.

Ond alla i ddim.

Mae rhywbeth y mae'n rhaid i mi ei wneud.

'Menzies,' sibrydaf. 'Wyt ti ar ddihun?'

'Ydw,' sibryda o'r fatras ar y llawr.

Roeddwn i'n gwybod y byddai'n effro. Pan aeth pawb adref o'r diwedd, gan ddylyfu gên ac yn dweud pa mor wych oedd y parti, a dechreuodd Mam a Dad ddylyfu gên hefyd, dim ond edrych ar ein gilydd wnaeth Menzies a minnau.

Sut gall pobl gysgu, meddai edrychiad Menzies, pan fydd plant yn dioddef anghyfiawnder?

Dw i'n pwyso allan o'r gwely fel y gallaf sibrwd wrth Menzies yn dawel iawn. Alli di ddim bod yn rhy ofalus pan fydd plismon yn cysgu ar y soffa yn yr ystafell fyw.

'Dw i wedi bod yn meddwl,' sibrydaf. 'Os gofynna i i dy dad helpu Jamal a Bibi, efallai y bydd e'n gwrando arna i. Dw i ddim yn perthyn iddo fe, felly fydd e ddim yn teimlo fel petai ei blentyn yn dweud wrtho beth i'w wneud.'

Yng ngolau gwyrdd y cloc larwm o Albania, dw i'n gallu gweld Menzies yn meddwl am hyn. Dw i ddim yn dweud wrtho'n union beth dw i'n mynd i ddweud wrth ei dad, y manylion hyll, achos dw i ddim eisiau gwneud iddo boeni.

'Fe fydd rhaid i ti wneud yn siŵr nad wyt ti'n colli dy dymer,' medd Menzies. 'Mae e'n gallu bod yn benderfynol iawn.'

'Popeth yn iawn,' meddaf. 'Mae rhai o 'nheulu i braidd yn benstiff hefyd.'

Mae Menzies yn meddwl eto.

'O'r gorau,' medd ef. 'Mae'n werth rhoi cynnig arni. Diolch.'

'Dilyn fi,' sibrydaf. 'A dere â'r llythyr.'

Rydyn ni'n cropian allan o f'ystafell, yn mynd ar flaenau ein traed dros y landin ac i ystafell wely Mam a Dad. Dw i'n cau'r drws y tu ôl i ni ac yn cynnau'r golau.

Mae Mam a Dad yn cysgu, wedi'u clymu yn y cynfasau. Ry'n ni i gyd yn gysgwyr anniben yn ein teulu ni.

'Mam,' meddaf. 'Dad. Mae rhywbeth pwysig mae angen i mi ei ofyn i chi.'

Mae Dad yn ochneidio ac yn agor un llygad.

'Sori,' meddaf. 'Ond mae'n fater brys. Fydda i a Menzies ddim yn gallu cysgu tan i ni wybod yr ateb.'

'Bridget,' cwyna Mam. Yna mae'n codi ar ei heistedd, wedi cael ofn. 'Oes rhywbeth yn bod?'

'Alla i gael nodyn i'r ysgol?' meddaf. 'Fel y galla i fynd i Canberra gyda Menzies y penwythnos nesaf?'

'Canberra?' medd Mam, gan syllu arnon ni ein dau. 'Pam?'

'I gwrdd â'm rhieni i,' medd Menzies, 'Fel y gallan nhw roi croeso i Bridget fel dw i wedi'i gael yma.'

Dw i'n ymddiheuro, dyw bwyta uwd ddim yn dy wneud di'n dwp wedi'r cyfan.

Mae Mam a Dad yn edrych ar ei gilydd. Dw i'n gallu gweld eu bod nhw wrth eu bodd.

'Wrth gwrs y galli di,' medd Mam. 'Dyna gyffrous.' Wedyn mae hi'n meddwl am rywbeth. 'Sut ewch chi yno?'

'Fe fydd Dave yn mynd â ni yn y car,' medd Menzies. 'Wedyn fe all e fynd i weld ei fam.'

Mae Mam yn edrych ar Dad. Mae e'n codi ei ysgwyddau, ac yn nodio. Dw i'n gallu gweld eu bod nhw'n dychmygu y bydda i a Menzies yn priodi a minnau'n dod yn aelod seneddol.

'Efallai y byddai hi'n well gan yr ysgol petaech

chi ddim yn mynd i ffwrdd am ddau benwythnos o'r bron,' meddai Mam. 'Beth am fynd y penwythnos wedyn?'

'Allwn ni ddim,' meddaf. 'Mae'n fater brys. Mae angen i ni ofyn i dad Menzies i gael plant allan o ganolfan gadw i ffoaduriaid.'

Mae Mam a Dad yn edrych ar ei gilydd unwaith eto. Yn sydyn dydyn nhw ddim yn edrych cymaint wrth eu bodd.

'Canolfan gadw i ffoaduriaid?' medd Dad.

'Dw i ddim yn credu y dylech chi fod yn ymwneud â'r math yna o beth,' medd Mam yn amheus. 'Mae rheswm dros y canolfannau cadw yna. Mae'r llywodraeth wedi egluro'r cwbl. Eu bwriad yw dychryn ffoaduriaid eraill a allai fod yn bwriadu dod yma.'

'Mae Mam yn iawn,' medd Dad.

Weithiau mae Mam a Dad mor frwd am gadw at y gyfraith, gallwn i sgrechian.

'Mae plant wedi'u carcharu yn y lleoedd hyn,' meddaf. 'Plant bach â'u dannedd yn gwynio. Brodyr hŷn sy'n anobeithio.'

Mae Mam a Dad yn dal i edrych yn amheus.

'Dangos y llythyr iddyn nhw, Menzies,' meddaf.

Mae Menzies yn estyn y llythyr.

'Y darn am ymprydio,' meddaf. 'Dangos y darn am yr ympryd iddyn nhw.' Mae Menzies yn pwyntio at un o'r tudalennau. Mae Dad yn ei gymryd, ac mae ef a Mam yn ei ddarllen.

'Arswyd y byd,' medd Dad. 'Plant yn ymprydio.'

'Bridget, cariad,' medd Mam, gan edrych fel petai wedi cael sioc hefyd. 'Mae rhai pethau ofnadwy'n digwydd yn y byd, ac mae hynny'n drist iawn, ond does dim llawer y gallwn ni ei wneud. Mae ein teuluoedd ein hunain gyda ni i boeni amdanyn nhw. Mae hynny'n wir, on'd yw e, Len?'

Dyw Dad ddim yn ateb am dipyn. Mae e'n syllu ar y dudalen. Wedyn mae e'n sylweddoli bod Mam yn edrych arno.

'Ydy,' meddai.

Ond dyw e ddim yn swnio wedi'i argyhoeddi.

'Rwyt ti'n gwybod beth fydd yn digwydd os na fydd y plant 'na'n bwyta,' medd ef wrth Mam. 'Fe fydd yr awdurdodau'n gwthio tiwbiau plastig i lawr eu gyddfau, lawr i'w stumogau nhw, ac yn pwmpio bwyd i mewn iddyn nhw.'

Mae Mam yn edrych hyd yn oed yn fwy anhapus.

Mae Menzies yn edrych wedi dychryn.

Trueni ei fod wedi gorfod clywed hynna. Mae bob amser yn sioc i bobl sydd â dim i'w wneud â charchardai. Yn enwedig pan fyddan nhw'n clywed sut mae'r tiwbiau plastig yn gwneud i'r bustl ruthro i fyny gyddfau'r rhai sy'n ymprydio ac yn llosgi'r tu mewn i'w trwynau nhw.

Ond efallai ei bod hi'n llawn cystal bod Menzies wedi clywed hyn achos nawr mae e'n gwybod yn union beth mae Jamal a Bibi'n ei wynebu.

Mae hi tua 8.12 y bore a dw i'n mynd i gyfeiriad y gorllewin ar draws ein hystafell fyw ni am y gegin.

Mae rhywbeth o'i le.

Dw i'n gallu ei deimlo yn fy mherfedd.

Dw i'n ceisio deall beth all fod.

Mae Menzies yn cael cawod lan lofft, ond dw i wedi symud yr holl bethau anghyfreithlon o'r ystafell ymolchi. Felly, mae hynny'n iawn. Mae Dave y gwarchodwr yn defnyddio'r gawod wrth y gegin ond dw i wedi gwneud yn siŵr bod y sebon a'r past dannedd yno'n gyfreithlon ac mae'r rhifau ffug ar y peiriant golchi a'r sychwr yn wynebu'r wal. Felly mae popeth yn iawn yno hefyd.

Aros eiliad, dw i'n credu 'mod i'n gwybod beth allai fod o'i le.

'Mam,' sibrydaf yn daer, gan bwyso dros fwrdd y gegin. 'Ble mae Dad?'

Mae Mam yn rhoi'r gorau i sgramblo'r wyau ac yn rholio'i llygaid.

'Y warws,' meddai hi. 'Fe gadwodd fi ar ddihun am hanner y nos yn troi a throsi ac wedyn fe gododd am saith. Roedd ganddo fe ryw gynllun dwl i roi anrheg i bob aelod seneddol. Rhywbeth am eu perswadio nhw i newid eu meddyliau am gadw plant mewn canolfannau cadw.'

'O na,' meddaf.

'Dwed ti,' medd Mam. 'Mae e wedi ein gadael ni ar ein pennau ein hunain yn y tŷ 'ma gyda phlismon.'

Dw i'n meddwl am rywbeth llawer mwy ofnadwy na hynny. Dw i'n meddwl am Wncwl Grub yn mynd â'i fan i ddrws ochr y senedd-dy. Dw i'n gweld gweinidogion y senedd yn mynd yn wyllt pan welan nhw fod rhifau ffug ar anrhegion Dad ac yn dweud wrth Dave am arestio'r teulu cyfan.

Does dim amser i egluro hyn i Mam.

Dw i'n cydio yn y ffôn.

'Dydd Sul yw hi,' medd Mam. 'Atebydd y warws gei di.'

'Fe ffonia i ei ffôn symudol e,' meddaf.

Mae Mam yn pwyntio at ffôn symudol Dad sydd ar fwrdd y gegin.

Fi sy'n rholio fy llygaid nawr. Mae cof Dad fel gogr.

'Mae'n rhaid i ni fynd i'r warws,' meddaf.

'Alla i ddim,' medd Mam. 'Alla i ddim gadael ein gwesteion ni fan hyn.' Mae hi'n pwyntio lan lofft a dw i'n gwybod ei bod hi'n cyfeirio at sosbennau brys o Iraq, ymhlith pethau eraill.

Dw i'n teimlo fel sosban frys o Iraq fy hunan.

'Fe af i,' meddaf. 'Dw i'n nabod y ffordd. Wela i chi i gyd maes o law.'

Cyn i Mam fy rhwystro dw i wedi mynd allan drwy'r drws ffrynt a dw i'n brysio i lawr y stryd. Dw i'n weddol sicr 'mod i'n gwybod y ffordd. Dw i erioed wedi'i cherdded hi o'r blaen, ond dw i wedi ceisio cofio'r rhan fwyaf o'r mannau ar y ffordd rhag ofn y bydd yr heddlu ar fy ôl i a Dad rywbryd ac y bydd e'n cael ei anafu a bydd yn rhaid i mi gymryd yr olwyn a gyrru i'r warws i ddinistrio'r holl dystiolaeth yn ein herbyn cyn i'r heddlu gyrraedd. Dw i erioed wedi gweithio allan sut yn union y byddwn i'n ei wneud e, achos mae llwythi o'r stwff a byddwn i'n tynnu gormod o sylw drwy losgi popeth a byddai ei roi i lawr y tŷ bach yn cymryd misoedd a byddai ei gladdu fe'n cymryd lawn cymaint o amser . . .

Beth yw'r sŵn yna y tu ôl i mi?

Car yw e, yn cropian wrth fy sawdl, yn fy nilyn.

Dw i'n ofni mentro troi i edrych. Os mai'r heddlu sydd yno, fe welan nhw wrth fy wyneb fy mod i'n euog.

'Bridget. Dere mewn.'

Llais Menzies yw e.

Dw i'n troi i edrych. Mae Menzies yn gwenu arna i drwy ffenest teithiwr car Dave. Mae Dave wrth yr olwyn, yn edrych fel bydd y rhan fwyaf o oedolion pan fydd plant yn difetha eu bore Sul.

'Fe ddwedon ni wrth dy fam y bydden ni'n rhoi lifft i ti,' medd Menzies.

'Diolch,' meddaf o dan fy anadl, a mynd i mewn.

Beth sydd wedi codi i ben Mam? Gadael i blismon a mab gweinidog yn y llywodraeth fynd i'r warws? Ond siŵr o fod, petai hi wedi ceisio eu rhwystro nhw, byddai hynny wedi gollwng y gath o'r cwd hefyd.

Wel, mae bod yn droseddwr yn fusnes cymhleth.

Am eiliad dw i'n cael fy nhemtio i roi'r cyfarwyddiadau anghywir iddyn nhw ac esgus fy mod i'n mynd i'r siop fideos neu rywbeth, ond wedyn dw i'n cofio bod yn rhaid i mi rwystro Dad.

'Ry'n ni'n mynd i lle mae Dad yn gweithio,' meddaf a dechrau rhoi cyfarwyddiadau.

'Gan bwyll,' medd Dave. 'Nid gyrrwr tacsi ydw i.'

Dw i'n falch o hynny achos wrth fynd ar goll unwaith neu ddwy, dw i'n cael amser ychwanegol i feddwl sut galla i eu rhwystro nhw rhag mynd i mewn i'r warws.

Erbyn i ni droi i mewn i'r ystâd ddiwydiannol, dw i'n gwybod sut i wneud hynny.

'Sori,' meddaf wrth i ni barcio'r tu allan i'r warws. 'Mae diogelwch yn beth mawr i Dad a dim ond pobl sydd wedi mynd drwy'r trefniant diogelwch sy'n cael mynd i mewn. Fydda i ddim yn hir.'

Dw i'n sleifio allan o'r car ac yn brysio i mewn i'r warws. Dyw'r lleill ddim yn dilyn. Dw i ddim yn synnu. Roeddwn i'n hollol siŵr y byddai Dave yn parchu trefniadau diogelwch.

Mae Dad yn y cefn, yn sychu llwch oddi ar beiriant gwnïo â rhacsyn.

'Bore da, cariad,' medd Dad â gwên ar ei wyneb. 'Ddwedodd Mam wrthot ti am fy nghynllun i?'

'Do,' atebaf.

'Y peiriant gwnïo gorau, wedi'i wneud yn Romania,' medd Dad. 'Un bach arbennig o dda.' Mae e'n pwyntio at bentwr ohonyn nhw yn y gornel. 'Mae digon gyda fi i'w hanfon at bob gwleidydd yn Canberra. Fe fyddan nhw'n arbed ffortiwn ar newid a thrwsio dillad. Os byddwn ni'n garedig wrthyn nhw, efallai y bydd hi'n haws iddyn nhw fod yn garedig wrth y plant bach sydd wedi'u cloi, dyna sut dw i'n ei gweld hi.'

'Dad,' meddaf. 'Trueni nad wyt ti'n Brif Weinidog.'

Mae Dad yn edrych yn falch.

'Ond,' meddaf wedyn, 'chei di ddim. Mae hi'n rhy beryglus. Beth petai adran o'r llywodraeth yn penderfynu gweld o ble ddaeth y peiriannau gwnïo yma? A phopeth arall sydd yma wedyn?'

Dw i'n pwyntio at y silffoedd o stwff.

Mae Dad yn meddwl am hyn. Mae e'n bwrw'r syniad o'r neilltu.

'Adrannau'r llywodraeth,' medd ef yn ddirmygus. 'Maen nhw'n anobeithiol. Fe fyddai hi'n cymryd blynyddoedd iddyn nhw sylweddoli.'

'Ond beth os nad ydyn nhw i gyd yn anobeithiol?' meddaf. 'Beth petai adran Dave yn sylweddoli pan dw i yn Canberra?'

Mae Dad yn meddwl am hynny. Mae ei ysgwyddau'n syrthio.

'Sori, cariad,' medd ef. 'Wnes i ddim meddwl y gallet ti gael dy roi yn y caca. Fe adawa i fe tan i ti gyrraedd nôl. Arswyd, fe es i braidd yn fy nghyfer, on'd do fe? Dw i'n falch bod Mam wedi dy anfon di lawr 'ma.'

Dw i'n nodio. Gwell peidio dweud dim, taw piau hi.

Mae Dad yn gwgu. 'Ond dw i'n mynd i ysgrifennu at y gwleidyddion 'na,' meddai. 'Nid ar bapur o fan hyn, ond ar bapur o siop yn y dre. Dweud wrthyn nhw beth yw fy marn i amdanyn nhw'n carcharu plant.'

Dw i'n rhoi cwtsh i Dad. 'Dw i'n falch iawn mai ti yw 'nhad i,' meddaf.

Mae e'n fy ngwasgu'n dynn. 'Pob lwc yn Canberra,' medd ef.

Unwaith eto dw i ddim yn dweud dim. Y tro yma achos bod rhywbeth yn tynnu fy sylw wrth i mi edrych heibio i gesail Dad.

Mae Menzies, sy'n sefyll ym man llwytho'r warws, yn syllu arna i a Dad.

Mae'n fy ngweld i'n edrych arno ac mae e'n troi i ffwrdd ac yn esgus ei fod yn astudio'r holl stwff sydd ar y silffoedd. Wrth ei ymyl mae pentwr o grysau T a chynfasau gwely *Lord of the Rings* ffug.

Nawr mae e'n edrych ar y cynhwysydd mawr sy'n mynd ar y llong. Neu'n hytrach, ar un rhan arbennig o'r cynhwysydd.

Y darn mawr o fetel disglair lle roedd y rhif yn arfer bod cyn iddo gael ei dynnu'n anghyfreithlon.

'Bridget White, efallai y gallwch chi ein helpu ni gyda'n hymholiadau.'

Mae'r llais mor uchel, dw i bron â neidio o'm cadair. Mae Mr Creely'n sefyll wrth fy nesg, yn syllu i lawr arna i.

Gwers wyddoniaeth.

Mae Mr Creely eisiau ateb, ond beth oedd y cwestiwn?

Dw i'n gwneud fy ngorau glas i glirio'r holl gwestiynau dw i wedi bod yn meddwl amdanyn nhw o'm pen. A fydd rhieni Menzies yn gadael i ni fynd i Canberra y penwythnos yma? Pam mae Menzies wedi bod yn fy osgoi am y ddau ddiwrnod diwethaf ers i ni ddod 'nôl i'r ysgol?

'Dw i a gweddill y dosbarth yn gobeithio,' medd Mr Creely, 'y byddwch chi'n rhoi ychydig o wybodaeth i ni. Am y mater dw i wedi bod yn siarad amdano am y deg munud diwethaf.'

Mae fy ymennydd yn teimlo fel y gwlân cotwm

sy'n cael ei ddefnyddio i bacio teclynnau clywed o Bangladesh.

'Neu a fydd rhaid i chi aros i mewn ar y penwythnos am freuddwydio?' medd Mr Creely.

Mae Antoinette yn gwneud ystumiau gwyllt. Mae hi'n gwneud siâp â'i cheg.

Parasiwtiau?

'Parasitiaid, ' meddaf, gan gofio'n sydyn.

'Diolch, Antoinette,' medd Mr Creely. 'Nawr, Miss White, fel dych chi'n cofio, dw i'n siŵr, organebau yw parasitiaid sy'n cymryd yr hyn sydd ei angen arnyn nhw i fyw o organebau eraill. Dw i newydd fod yn egluro, fel dych chi'n gwybod mae'n siŵr, fod llawer mwy o rywogaethau o barasitiaid ar ein planed na rhywogaethau nad ydyn nhw'n barasitiaid. Felly, i osgoi cael eich cadw i mewn y penwythnos yma, enwch un rhywogaeth o barasitiaid nad oes neb wedi sôn amdano yn y wers hon heddiw.'

Syllais arno mewn arswyd.

Nawr dyw fy ymennydd ddim yn teimlo mor ddeallus â gwlân cotwm hyd yn oed.

Mae rhywbeth ddwedodd Dad unwaith yn dod 'nôl i mi.

'Ffyngau,' meddaf. 'Mae rhywogaeth o ffyngau sy'n byw mewn mwd ar y ffin rhwng Turkmenistan ac Uzbekistan. Mae e'n mynd o dan ewinedd eich traed ac yn gwneud iddyn nhw gwympo bant sy'n broblem fawr i'r gyrwyr lori achos allan nhw ddim gwthio eu tryciau allan o'r mwd a fydd yr ysbeilwyr ddim yn fodlon eich tynnu chi allan os na chân nhw hanner eich llwyth chi ond does dim diddordeb gyda nhw mewn chwaraewyr DVD os nad ydyn nhw'n gweithio ym mhobman . . .'

Mae fy ymennydd yn dal i fyny â'm ceg fawr a dw i'n stopio siarad.

Dw i wedi dweud llawer gormod yn barod.

Mae Mr Creely yn edrych wedi synnu braidd.

Mae gweddill y dosbarth yn syllu.

Mae'r clychau'n canu. Mae Mr Creely yn ysgwyd ei ben, yn troi i ffwrdd ac yn ein hanfon o'r dosbarth.

Dw i'n aros tan i bawb fynd, gan weddïo nad oedd un o'r plant eraill wedi deall beth roeddwn i'n ei ddweud mewn gwirionedd.

Wedyn dw i'n camu allan i'r coridor.

Mae Menzies yn aros amdana i.

Y tu ôl i'w sbectol mae ei lygaid yn fawr ac yn ofidus. Mae fy mherfedd yn llawn clymau fel hamog o Romania.

'Fe ffoniodd fy mam 'nôl,' medd ef. 'Fe allwn ni fynd i Canberra'r penwythnos hwn.'

'Gwych,' meddaf, ond dw i'n gallu gweld bod rhagor i ddod.

'Yn gyntaf,' medd Menzies, 'mae rhai pethau mae angen i mi eu gwybod. Beth yn union yw busnes dy dad?'

'Ddim fan hyn,' meddaf, gan edrych yn

bryderus i fyny ac i lawr y coridor. 'Gad i ni siarad yn dy ystafell di.'

Dyma ni'n mynd i'w ystafell. Ar y ffordd dw i'n ymarfer fy holl esgusodion am Dad yn dawel. Nad yw e'n dda am waith papur, yn enwedig papurau mewnforio. Ei fod e o hyd yn colli derbynebau. Bod rhif y cynhwysydd wedi cael ei grafu bant ar ddamwain pan aeth malwr caws o Uzbekistan yn ei erbyn.

Does dim byd yn taro deuddeg.

Rydyn ni'n mynd i ystafell Menzies ac mae Menzies yn cau'r drws.

'Bridget,' medd ef, gan edrych yn anhapus. 'Ai troseddwr yw dy dad di?'

Dw i'n teimlo'n anhapus iawn ei fod e wedi gofyn, ond dw i'n ceisio peidio dangos hyn, er bod fy mrest yn curo'n gyflymach na thorrwr gwair o Bosnia.

'Troseddwr?' meddaf. 'Pam rwyt ti'n meddwl hynny?'

'Y pethau ddwedaist ti yn y dosbarth,' medd Menzies. 'Chwaraewyr DVD ar y ffin ag Afghanistan neu beth bynnag oedd e.'

'Gwybod am y pethau 'na dw i,' meddaf i. 'Dyw e ddim yn golygu mai troseddwr yw 'nhad.'

'A'r cynfasau gwely *Lord of the Rings* yn warws dy dad,' medd Menzies. 'Dw i'n gwybod nad ydyn nhw'n rhai iawn achos yn y ffilm, nid Asiad yw Frodo.'

Rydyn ni'n edrych ar ein gilydd a dw i ddim yn gwybod beth i'w ddweud.

Mae e wedi fy nal i.

Mae fy nghoesau'n teimlo fel petaen nhw'n troi yn jeli o Bwlgaria, y stwff mae'n rhaid i ti ei yfed drwy welltyn.

Dyma'r hyn dw i wedi bod yn arswydo rhagddo. Dyna pam dw i erioed wedi gwneud ffrind go iawn. Dyna pam na ddylwn i fod wedi dod yn ffrind i'r bachgen hwn.

Mae rhan ohono i'n dymuno nad oeddwn i erioed wedi cwrdd â Menzies. Ond mae rhywbeth dryslyd yn digwydd. Mae rhan arall ohonof eisiau dweud y gwir wrtho.

'Aros eiliad,' meddaf. 'Fe ddof i 'nôl nawr.'

Dw i'n mynd allan i'r coridor ac yn curo ar ddrws Dave y gwarchodwr. Mae'r drws yn agor. Mae Dave yn edrych i lawr arna i, a'i aeliau'n gofyn i mi beth dw i eisiau.

'Dave,' meddaf. 'Chi'n cofio'r cymysgydd roddodd fy ewythr i chi? Roedd Menzies a minnau'n meddwl tybed a allech chi wneud smŵddi i ni.'

Mae Dave yn meddwl am hyn.

'A beth fydd yn digwydd os na wna i?' medd ef. 'Fydd dy dad yn fy saethu i?'

Am eiliad dw i'n meddwl ei fod e o ddifrif, ond wedyn mae e'n gwenu. 'Jôc fach,' meddai. 'Banana neu fefus?'

'Un o bob un,' atebaf. 'Diolch.'

Dw i'n mynd 'nôl i ystafell Menzies ac yn cau'r drws. Mae Menzies yn dechrau siarad, ond dw i'n rhoi fy mys ar fy ngwefusau. Rydyn ni'n aros mewn tawelwch tan i'r cymysgydd o Rwsia ddechrau rhuo drws nesaf.

Perffaith. Fyddai neb yn gallu ein clywed ni nawr hyd yn oed petaen nhw'n ceisio.

Dw i'n dal ddim yn siŵr beth sy'n mynd i ddigwydd nesaf. Menzies yn holi cwestiynau i mi, neu fi'n cyffesu iddo fe.

Yna'n sydyn dw i eisiau un peth yn fwy nag unrhyw beth arall yn y byd.

Un ffrind y galla i siarad yn onest ag e.

Dw i'n troi at Menzies.

'Wyt ti'n addo peidio â dweud wrth dy dad neu wrth unrhyw un arall yn y llywodraeth am yr hyn dw i'n mynd i'w ddweud wrthot ti?' meddaf.

Mae Menzies yn oedi. Dim ond am eiliad.

'Dw i'n addo,' meddai.

Dw i'n plannu fy ewinedd yng nghledrau fy nwylo. Hen dric gan ladron i wneud i ti deimlo'n ddewr.

'Rhyw fath o droseddwr yw dad,' meddaf. 'Dyw e ddim yn dwyn a dyw e ddim yn dreisgar, ond mae'r rhan fwyaf o'r stwff yn ei warws wedi cwympo oddi ar gefnau loris tramor.'

'Ro'n i'n meddwl hynny,' medd Menzies yn dawel.

Dw i'n dal ati.

'Dyw ein teulu ni ddim yn gwneud lladradau

arfog,' meddaf yn bendant. 'Neu'n torri i mewn i dai. Heblaw am Wncwl Grub pan oedd e newydd briodi ond mae'n flin ganddo am hynny nawr. A dy'n ni ddim yn dwyn ceir neu'n gwerthu cyffuriau neu'n herwgipio pobl.'

Dw i'n stopio. Mae'n anodd iawn cyffesu i bethau. Yn fwy anodd na chadw cyfrinachau weithiau.

Y cyfan mae Menzies yn ei wneud yw edrych arna i.

'Os nad wyt ti eisiau cael ffrind sy'n ferch i droseddwr,' meddaf, 'neu os nad wyt ti eisiau mynd ag un 'nôl i dy gartref di, dw i'n deall.'

Mae Menzies yn gwgu. Dw i'n gallu gweld ei fod e'n meddwl yn ddwys. Efallai y bydd e'n Brif Weinidog ryw ddydd.

Ar ôl cyfnod sy'n teimlo fel nifer o flynyddoedd, mae e'n siarad o'r diwedd.

'Dw i eisiau bod yn ffrind i ti,' medd ef.

Dw i'n gwneud fy ngorau i beidio â dangos gormod o ryddhad.

'Ond,' medd Menzies wedyn, 'mae problem.'

Diolch byth na ddangosais i ormod o ryddhad.

'Mae Dave yn swyddog gyda'r heddlu,' medd Menzies. 'Mae e'n cael ei hyfforddi i adnabod troseddu. Dyw hi ddim yn rhy beryglus, dy fod ti wrth ei ymyl e?'

Mae sŵn y cymysgydd o Rwsia'n cilio a'r clymau yn fy mherfedd hefyd. Felly dyna'r cyfan mae Menzies yn poeni amdano.

'Dw i'n gyfarwydd â pherygl,' meddaf.

Dweud wrth Menzies am fy nheulu oedd y perygl mawr. Galla i ymdopi â Dave.

'Fe fydd popeth yn iawn,' meddaf. 'Petai e'n mynd i arestio fy nheulu, fe fyddai wedi'i wneud e'r penwythnos diwethaf yn y parti.'

Mae Menzies yn gwenu arnaf mewn rhyddhad.

Dw i'n gwenu 'nôl.

Da iawn, Dad. Mae e bob amser wedi dweud wrtha i ei bod hi'n well bod yn onest.

H*H* H*H*
H*H*

Mae pobl yn garedig.

Dw i bob amser wedi credu hynny, hyd yn oed pan fyddan nhw weithiau'n gwneud pethau sydd ddim yn garedig. Er enghraifft, aeth lladron i dŷ Wncwl Ray unwaith ac yn ogystal â chymryd y teledu a'r peiriant DVD, gwnaeth y lleidr gaca ar y soffa.

Doedd hynny ddim yn garedig iawn.

Roedd y lleidr yn eiddigeddus, dyna dw i'n feddwl. Roedd wedi clywed am yr holl waith roedd Wncwl Ray yn ei wneud gyda meddygon a milfeddygon ac roedd y lleidr yn eiddigeddus nad oedd erioed wedi cael cyfle i fynd i'r brifysgol a dod ymlaen yn y byd. Druan â fe, doedd dim angen iddo fod yn eiddigeddus. Aeth Wncwl Ray ddim i'r brifysgol chwaith.

Mae Dave y gwarchodwr yn garedig iawn.

Mae newydd dreulio oriau ac oriau yn ein gyrru i Canberra. O'r gorau, dyna yw ei waith, ond doedd dim rhaid iddo chwaith. Gallai fod wedi dweud ei fod yn teimlo'n sâl neu wedi esgus bod gormod o berygl i ddiogelwch achos bod terfysgwyr yn esgus bod yn weithwyr mewn gorsafoedd petrol.

Mae Menzies yn garedig hefyd.

Pan ddwedais i a Dave ein bod ni wedi cael digon ar chwarae *Dw i'n gweld gyda fy llygaid bach i*, chwynodd Menzies ddim chwaith, na mynd yn grac. Y cyfan ddwedodd e oedd, os oeddwn i'n teimlo'n flinedig y gallwn gysgu ar ei ysgwydd. Roedd hynny'n garedig iawn, er mai fe aeth i gysgu'n syth ar fy ysgwydd i.

A nawr rydyn ni yn Canberra, yn gyrru ar hyd y strydoedd tywyll i gartref Menzies. Dw i'n gallu gweld bod y bobl yma'n garedig hefyd.

Mae'r adeiladau mawr wedi'u goleuo yn y nos fel na fydd ymwelwyr yn bwrw i mewn iddyn nhw yn y tywyllwch.

Mae'r lawntiau o gwmpas yr adeiladau i gyd wedi'u torri'n daclus fel na fydd plant bach yn crwydro a mynd ar goll.

A dros y lawntiau i gyd, yn bwyta'r borfa ac yn oeri yn yr ysgeintellau dŵr, mae cannoedd ar gannoedd o gangarŵod.

Dim ond pobl garedig iawn fyddai'n rhannu eu dinas â chreaduriaid llwglyd sydd wedi dod i mewn o'r wlad. Pobl â chalonnau da a charedig. Felly dyna pam dw i'n siŵr, pan fyddwn ni'n cyrraedd tŷ Menzies ac y bydda i'n gofyn i'w dad helpu Jamal a Bibi, y bydd ei dad yn fodlon gwneud.

'Felly, Bridget,' medd tad Menzies, gan wenu arna i dros y bwrdd bwyd. 'Beth wyt ti a Menzies yn bwriadu'i wneud yn Canberra?'

Dw i ddim yn ateb yn syth achos mae gen i lond pen o gimwch go iawn a dw i ddim eisiau mentro poeri dim dros un o weinidogion y llywodraeth. Neu dros waliau fflat foethus go iawn. Neu dros unrhyw un o'r gwesteion eraill, pob un ohonyn nhw'n edrych fel modelau rhyngwladol a chyfarwyddwyr busnes a llysgenhadon o wledydd estron.

Wrth i mi gnoi dw i'n edrych yn ymbilgar ar Menzies, gan obeithio y bydd e'n ateb.

Alla i mo'i weld e'n eglur iawn achos mae canhwyllau yng nghanol y bwrdd. Drwy'r fflamau sy'n crynu, mae e'n edrych fel petai'r cyfan yn ormod iddo yntau hefyd. Ei rieni, eu ffrindiau, maint y bwrdd, popeth.

Dw i ddim yn ei feio fe.

Mae'r cyllyll a'r ffyrc yma o ddur gwrthstaen go

iawn. Mae'r napcynau yn ddefnydd go iawn gyda brodwaith go iawn, nid rhywbeth wedi'i argraffu. Mae'r platiau o tsieni go iawn, edrychais i oddi tanyn nhw. A tsieni o ansawdd da ydy e, nid y stwff o Bwlgaria. O Tsieina mae'r rhain yn dod, yn siŵr i ti.

Mae pawb o gwmpas y bwrdd yn edrych arna i.

'Wyt ti eisiau ymweld â'r Oriel Genedlaethol?' medd tad Menzies. 'Yr Amgueddfa Wyddoniaeth? Y Sefydliad Chwaraeon?'

Dw i'n llyncu'r cimwch.

'A dweud y gwir,' meddaf, 'ry'n ni eisiau gofyn ffafr i chi.'

Mae tad Menzies yn edrych draw at fam Menzies, sy'n codi ei hysgwyddau'n sydyn.

'Mae pawb eisiau ffafr gan y gweinidog,' medd un o'r gwesteion.

Mae'r lleill i gyd yn chwerthin.

'Chwarae teg iddi,' medd tad Menzies wrthyn nhw. 'Mae ganddi hi gymaint o hawl â neb. Fe fydd hi'n pleidleisio ymhen ychydig flynyddoedd.'

Mae'r lleill i gyd yn chwerthin.

Dw i'n teimlo fy wyneb yn mynd yn boeth. Drwy olau'r canhwyllau, dw i'n gweld bod Menzies yn teimlo'r un fath. Mae ei wyneb yn edrych yr un lliw â chragen y cimwch ar ei blât.

'Gofyn di, cariad,' medd tad Menzies wrtha i. 'Yn y wlad hon mae gan bob etholwr hawl i gael ei glywed. Dim ond gweinidog bach y goron ydw i, ond fe wna i bopeth o fewn fy ngallu i wneud yr hyn rwyt ti'n gofyn amdano.'

Mae rhai o'r modelau a'r llysgenhadon yn curo dwylo.

'Y plant yn y canolfannau cadw,' meddaf. 'Fe hoffen ni i chi eu rhyddhau nhw, os gwelwch chi'n dda.'

Mae'r ystafell yn mynd yn dawel iawn, heblaw am fam Menzies sy'n gwneud sŵn bach wrth roi ei chyllell a'i fforc ar ei phlât.

Mae tad Menzies yn ochneidio.

'Trueni na allwn i, Bridget,' medd ef. 'Ond un aelod o dîm ydw i. Tîm o'r enw'r llywodraeth. A'r penderfyniad gan y tîm i gyd oedd bod yn rhaid cadw pobl sy'n ceisio dod i mewn i Awstralia heb ganiatâd o dan glo.'

Dw i'n edrych draw ar Menzies. Mae'n rhythu ar ei dad, ac yng ngolau crynedig y canhwyllau mae'n edrych fel petai'n mynd i grio.

Dw i'n agor fy ngheg i ddweud wrth dad Menzies am ddannedd Bibi a chynlluniau Jamal i ymprydio ac mai'r unig reswm y daethon nhw i Awstralia oedd achos bod eu tŷ wedi cael ei chwythu i fyny a bod y llywodraeth yn Afghanistan wedi ceisio lladd eu rhieni.

Ond cyn y galla i wneud hynny, mae Menzies yn sefyll ar ei draed ac yn gweiddi ar ei dad.

'Fe alli di eu helpu nhw os wyt ti eisiau,' gwaedda'n gyhuddgar. 'Rwyt ti'n weinidog. Rwyt ti'n bwysig. Ond dwyt ti ddim eisiau, dyna'i gyd.

Does dim ots gyda ti. Dwyt ti ddim yn malio. Y cyfan rwyt ti'n malio amdano yw aros yn y llywodraeth.'

Mae'n aros, a'i wynt yn ei ddwrn.

Mae'r oedolion o gwmpas y bwrdd yn syllu arno, wedi dychryn.

Pawb heblaw am dad Menzies. Mae ei wyneb, wrth iddo syllu ar Menzies, yn drist.

Mae mam Menzies yn sefyll ac yn fy llywio'n dyner allan o'm cadair.

'Dewch, blant,' medd hi'n dawel. 'Amser gwely. Mae noson brysur iawn gan y gweinidog. Mae e'n mynd 'nôl i'r tŷ cyn hir am eisteddiad fydd yn para drwy'r nos. Dw i'n credu y dylen ni roi ychydig amser iddo ffarwelio â'i westeion.'

Wrth iddi fy nhywys i a Menzies i'r drws, mae pob un o'r gwesteion wrth y bwrdd yn dechrau siarad i gyd ar unwaith.

'Beth am y ferch 'na?' medd llais menyw. 'Am ddigywilydd, dod yma ac ymosod arnoch chi fel 'na. Dw i'n beio'r rhieni. Mae'n warthus.'

Mae llais tad Menzies yn fwynach, ac yn flinedig.

'Ry'n ni wedi magu ein mab i feddwl drosto'i hun,' medd ef. 'Fel y gwelwch chi, dyna mae e'n ei wneud hefyd.'

Dw i'n curo'n ysgafn ar ddrws ystafell wely Menzies ac yn cropian i mewn.

Mae ei ystafell yn teimlo tua chwe gwaith yn fwy na'i ystafell yn yr ysgol. I ddechrau, yn y gwyll, alla i ddim gweld y gwely. Mae'r synau distaw yn dweud wrtha i ble mae e. Wrth i'm llygaid ddod yn gyfarwydd â'r tywyllwch, dw i'n gweld Menzies yn gorwedd a'i ben o dan ei obennydd.

Dw i wedi bod yn esgus ein bod ni yn y carchar a dw i wedi bod yn gadael llonydd iddo. Mae Gavin yn dweud, pan fydd y dyn arall yn y gell yn crio, ei bod hi'n bwysig iawn gadael llonydd iddo.

Dw i ddim yn gwybod sut mae Gavin yn dod i ben. Roedd synau tawel Menzies oedd yn dod drwy'r wal yn swnio mor anhapus, allwn i ddim diodde'r peth. Ceisiais feddwl am bethau eraill, ond y cyfan y gallwn feddwl amdano oedd am Jamal yn gorwedd yn effro yn y nos, yn gwrando ar Bibi'n llefain achos bod ei ddannedd yn gwynio.

A minnau yn ystafell Menzies nawr, dw i'n sylweddoli nad crio mae'n ei wneud o dan ei obennydd, ond rhywbeth arall.

Rhegi'n llawn casineb.

Dw i'n eistedd ar wely Menzies, yn cynnau ei lamp ac yn ysgwyd ei ysgwydd.

'Menzies,' meddaf. 'Gwisga dy sbectol. Mae gen i rywbeth pwysig i'w ofyn i ti.'

Mae Menzies yn tynnu'r gobennydd oddi ar ei ben, yn troi drosodd ac yn edrych i fyny arna i.

'Mae gwleidyddiaeth wedi troi 'nhad yn anghenfil,' medd ef. 'Roedd e'n arfer bod yn arwr. Roedd e'n arfer helpu pobl. Pensiynwyr a chyn filwyr a phobl heb ddigon o leoedd parcio wrth eu swyddfeydd. Roedd e'n arfer poeni am bobl.'

'Menzies,' meddaf, 'pan ddwedodd dy fam fod dy dad yn mynd 'nôl i'r tŷ heno, oedd hi'n meddwl eich tŷ arall chi?'

'Na,' medd Menzies yn dawel. 'Mae ein tŷ arall ni gannoedd o gilomedrau i ffwrdd. Y senedd-dy roedd hi'n feddwl.'

'Felly mae pawb yn y senedd-dy o hyd,' meddaf. 'Yn gweithio drwy'r nos.'

Mae Menzies yn nodio.

'Da iawn,' meddaf.

'Na dyw e ddim,' medd ef. 'Dw i ddim eisiau bod 'nhad yn wleidydd rhagor. Y tro nesaf mae etholiad, dw i eisiau iddo golli.'

Yn sydyn mae Menzies yn codi ar ei eistedd ac yn cydio yn fy ysgwyddau. Mae'r lamp wrth ei wely'n adlewyrchu yn ei lygaid, gan eu gwneud nhw'n fwy llachar nag arfer.

'Gall dy deulu helpu,' medd ef. 'Gall dy deulu anfon pobl galed i bob gorsaf bleidleisio i fygwth bwrw pobl os ydyn nhw'n pleidleisio i 'nhad. Gall dy deulu herwgipio rheolwr ymgyrchu 'nhad. A llosgi'r lle sy'n argraffu ei daflenni. Ac wedyn . . .'

'Menzies,' meddaf yn gwta. 'Dyw fy nheulu i ddim yn troseddu fel yna.'

Mae Menzies yn gorwedd 'nôl ar ei obennydd.

'Ond,' meddaf, 'fe allwn ni helpu Jamal a Bibi o hyd.'

'Sut?' medd Menzies yn ddiflas.

'Drwy ofyn i'r person iawn,' meddaf.

Mae Menzies yn edrych arna i. Dw i'n gallu gweld nad yw e'n deall.

'Mae dy dad yn dweud mai dim ond aelod o dîm yw e,' meddaf. 'Tîm y llywodraeth.'

Mae Menzies yn edrych arna i eto. Dyw e'n dal ddim yn deall. Mae dy ymennydd yn mynd fel hyn pan wyt ti'n grac. Yn troi'n fwd fel y mwd sydd ar ffin Turkmenistan.

'Pwy yw pennaeth y llywodraeth?' gofynnaf.

Mae llygaid Menzies yn agor. Mae e'n deall nawr.

'Y Prif Weinidog,' medd ef.

'Yn union,' meddaf. 'Dyna'r person mae'n rhaid i ni fynd i'w weld e.'

Popeth yn iawn hyd yma.

Roedd sleifio allan o dŷ Menzies yn ddigon rhwydd. Roedd y gwesteion i gyd wedi mynd ac roedd ei fam yn cysgu a dim golwg ar Dave yn neidio allan o gwpwrdd ac yn ein harestio ni. Atgoffodd Menzies fi, pan fydd Dave yn Canberra mae e'n mynd i aros gyda'i fam yn Belconnen ac mae hi'n gwneud iddo fynd i'r gwely'n gynnar.

Roedd hi'n ddigon hawdd dod o hyd i'r senedd-dy hefyd. Dim ond rhyw dair stryd o dŷ Menzies mae e, ac mae bryn enfawr ar ei ben, felly mae'n ddigon hawdd ei adnabod, hyd yn oed yn y tywyllwch.

Ond dyw hi ddim mor hawdd ei gyrraedd e. Mae heolydd mawr yn gylchoedd o gwmpas y lle. Ac mae tipyn o geir o gwmpas o hyd er ei bod hi wedi troi hanner nos. Mae'n rhaid bod llawer o glybiau nos yn Canberra.

'Gwylia,' gwaeddaf ar Menzies.

Dw i'n cydio ynddo ac yn ei dynnu allan o ffordd beic modur sy'n mynd yn rhy gyflym.

'Diolch,' medd Menzies a'i wynt yn ei ddwrn. 'Mae niwl dros fy sbectol i gyd.'

Dw i'n aros iddo eu sychu â'i grys T, yna rydyn ni'n rhedeg dros y ffordd olaf ac ar y lawnt fawr sy'n codi tua mynedfa'r senedd-dy.

Yn sydyn dw i'n teimlo ychydig yn nerfus.

Ar y lawnt enfawr hon, alla i ddim gweld un cangarŵ. Efallai nad yw'r bobl yn y senedd-dy mor garedig â'r bobl eraill yn Canberra.

'Menzies,' meddaf. 'Oes gwarchodwyr gan y Prif Weinidog? Rhai sy'n saethu pan welan nhw gangarŵ neu berson yn mynd at y Prif Weinidog heb apwyntiad?'

'Dw i ddim yn meddwl hynny,' medd Menzies. 'Mae gwarchodwyr ganddo fe, ond dim ond pan fydd e allan yn gyhoeddus neu pan fydd arlywydd America draw yn cael barbiciw. Dere, fe awn ni i mewn y ffordd yma.'

Mae Menzies yn mynd i lawr y llethr am ochr yr adeilad a dw innau'n dilyn.

Dw i'n sylweddoli beth mae'n ei wneud. Rydyn ni'n mynd i dorri i mewn drwy'r cefn lle na fydd neb yn sylwi arnom.

Yn sydyn dw i'n teimlo'n nerfus iawn. Mae awyr y nos yn gynnes, ond mae lleithder oer yn codi oddi ar y borfa ac yn gwneud i mi grynu.

Pan oeddwn i'n fach, roedd Dad yn arfer adrodd stori am griw o ladron cas a oedd â chaer fawr o dan fryn lle roedden nhw'n cadw aur a gemau. Roedd cymaint o bobl yn amddiffyn y gaer, roedd hi'n amhosib torri i mewn yno heb geffyl hud ag adenydd a chloddiwr disel.

Wrth i ni agosáu, mae'r senedd-dy'n fy atgoffa fwyfwy o'r lle hwnnw. Y drafferth yw, does dim peiriant cloddio mawr gen i a Menzies. A dw i wedi gadael yr allwedd agor pob man a roddodd Wncwl Ollie i mi yn fy locer yn yr ysgol.

Dw i'n anadlu'n ddwfn i dawelu fy nerfau.

Dw i'n meddwl am Jamal a Bibi, yn gaeth mewn math gwahanol o gaer gas, ac fel mae eisiau ein help ni arnyn nhw'n druenus.

Mae fy nghalon yn dechrau curo'n gynt. Nid yn unig oherwydd fy mod i'n ofnus, ond am fy mod yn benderfynol hefyd.

Paid ag ofni, meddaf wrthyf fy hun. Os oedd hi'n hawdd mynd i gael sgwrs â'r Prif Weinidog, byddai pawb yn ei wneud e.

'Dyma'r ffordd,' medd Menzies.

Dyw ei lais ddim yn swnio'n ofnus, ac mae'n gwneud i mi deimlo'n ddewr hefyd.

Rydyn ni'n brysio ar hyd twnnel concrit.

Yn sydyn dw i'n barod i wneud unrhyw beth. Dringo waliau uchel. Cropian drwy garthffosydd. Mynd o dan belydrau diogelwch a chuddio mewn llwyni pigog. Unrhyw beth sydd ddim yn cynnwys nadroedd.

Neu warchodwyr diogelwch.

Dw i'n cydio yn Menzies. Ar ben draw'r twnnel

mae pwynt diogelwch. Mae dau gard yn ein gwylio ni'n dod yn nes.

'Popeth yn iawn,' medd Menzies.

Mae'n dal i gerdded tuag atyn nhw. Dw i'n dilyn achos does dim byd arall i'w wneud. Alla i ddim rhedeg a'i adael i'w hwynebu nhw ar ei ben ei hun.

Dw i'n dechrau meddwl, a fyddan nhw'n ymchwilio i fusnes Dad a Mam os caf fy saethu mewn mynedfa danddaearol i'r senedd-dy, wrth i un gard ddechrau siarad.

'Helô Menzies,' medd ef. 'Ydy dy dad yn gweithio heno?'

Mae Menzies yn nodio.

Mae fy ngheg yn agor led y pen. Dw i'n ei chau hi rhag ofn fy mod i'n edrych yn euog wrth fod yn gegrwth.

'Rwyt ti wrthi'n hwyr hefyd, Menzies, on'd wyt ti?' medd y gard. 'Gwell i ti beidio rhedeg o gwmpas y tu allan pan fydd dy dad yn dod â ti yma. Efallai na fydd rhai o'r gardiau eraill yn dy nabod di. Ac fe allen nhw feddwl mai terfysgwr yw dy ffrind di.'

Mae'r gard diogelwch arall yn gwenu arna i.

Mae fy nghoesau'n crynu'n fwy na thostiwr brechdanau o Armenia wrth wneud ei orau glas i dostio brechdan.

Mae'r gard diogelwch cyntaf yn rhoi arwydd i ni gamu drwy'r canfodydd metel.

Dw i'n meddwl am rywbeth ofnadwy.

Beth os oes unrhyw bethau anghyfreithlon gyda fi? Gallai'r heddlu ddechrau ymchwilio i fusnes Dad a Mam heb i mi gael fy saethu.

Dw i'n bwrw fy mhocedi'n ysgafn, gan feddwl yn gyflym. Mae'r gameboy o Fwlgaria 'nôl yn yr ysgol. Mae fy walkman o Latvia gyda un o'm cefndryd ar ôl i'r un oedd ganddi o Japan dorri. Dw i ddim yn gwisgo crys T ffug *Lord of the Rings*.

Diolch byth, popeth yn iawn.

Dw i'n camu drwy'r canfodydd metel. A Menzies hefyd.

Dyw'r larwm ddim yn canu.

'Fe fydd y tŷ'n eistedd am oriau eto,' medd y gard cyntaf. 'Cer i oriel yr ymwelwyr a chodi llaw ar dy dad.'

'Diolch, Dennis,' medd Menzies.

Dw i'n teimlo'n wan gan ryddhad. Dw i'n gwenu'n gyfeillgar iawn ar Dennis a'r gard arall a gwneud yn siŵr nad ydw i wedi piso ar fy nhraws.

Wedyn dw i a Menzies yn cerdded i mewn i'r senedd-dy.

Mae hi tua 12.23 y nos ac rydyn ni'n mynd ar hyd coridor yn senedd-dy go iawn wirioneddol Awstralia.

Dw i ddim yn siŵr iawn i ba gyfeiriad ry'n ni'n mynd. Tuag at y Prif Weinidog, gobeithio.

'Wyt ti'n gwybod ble i ddod o hyd iddo?' gofynnaf.

'Dw i'n meddwl,' medd Menzies. 'Roedd Dad yn arfer dod â mi yma pan o'n i'n fach. Cyn iddo fynd yn rhy brysur. Dw i'n meddwl bod swyddfa'r Prif Weinidog rownd y gornel hon.'

Dw i'n stopio wrth y gornel ac yn edrych i'r coridor nesaf.

Popeth yn iawn.

Heblaw am y camerâu diogelwch sydd ymhobman. Dylai'r bobl sy'n rhedeg ein hysgol ni weld hyn. I gael syniadau am sut i ofalu am eu pethau gwerthfawr.

Dw i'n cael syniad dychrynllyd.

Beth os ydyn nhw'n gwneud fideo o bopeth?

Beth os oes adran yn y llywodraeth sy'n ymchwilio i gefndir pob ymwelydd â'r senedd-dy am resymau diogelwch?

Wrth i mi ddilyn Menzies i lawr y coridor, dw i'n llenwi fy mochau â gwynt fel na fydd y llywodraeth yn fy adnabod os oes ganddyn nhw gopïau o'm hen ffotograffau ysgol. Mae Wncwl Grub yn gwneud yr un peth wrth yrru heibio i gamerâu diogelwch.

'Dyma ni,' medd Menzies. 'Swyddfa'r Prif Weinidog.' Mae'n edrych arna i'n sydyn. 'Wyt ti'n iawn?'

Dw i'n nodio ac yn gollwng y gwynt o'm bochau.

Mae'r gard diogelwch sy'n eistedd y tu ôl i ddesg y tu allan i swyddfa'r Prif Weinidog yn edrych yn rhyfedd arna i hefyd.

Mae Menzies yn tynnu cerdyn adnabod plastig allan o'i boced ac yn ei ddangos i'r gard.

'Fe hoffen ni gael gair sydyn â'r Prif Weinidog, os gwelwch yn dda,' meddai.

Dyw'r gard diogelwch ddim yn edrych mor gyfeillgar â Dennis. Mae e'n ysgwyd ei ben.

'Does gen i ddim hawl i ddatgelu lleoliad y Prif Weinidog,' medd ef.

Mae Menzies yn edrych yn siomedig. Mae'n sibrwd yn fy nghlust. 'Mae e'n dweud na all e ddweud wrthon ni ble mae'r Prif Weinidog.'

Dw i'n edrych ar ddrws y swyddfa y tu ôl i'r gard. Mae'r drws ar gau a does dim golau'n dod drwy'r bwlch ar y gwaelod. Naill ai mae'r Prif Weinidog yno'n chwarae â'i gameboy yn y tywyllwch, neu mae e yn rhywle arall.

'Oes gameboy gyda'r Prif Weinidog?' gofynnaf i'r gard.

Mae'r gard yn edrych i fyw fy llygad.

'Does gen i ddim hawl i ddatgelu unrhyw wybodaeth am y Prif Weinidog,' medd ef.

A oes gwên ar ei wyneb? Neu a oes diffyg traul arno?

'Diolch, beth bynnag,' meddaf.

Dw i'n troi at Menzies.

'Dw i ddim yn credu bod y Prif Weinidog i mewn fan 'na,' meddaf.

Wrth i ni fynd 'nôl y ffordd daethon ni, dw i'n ceisio meddwl beth i'w wneud nesaf.

'Ydy rhif ffôn y Prif Weinidog gyda ti?' meddaf wrth Menzies. 'Fe allen ni ei ffonio fe ar dy ffôn symudol.'

Mae Menzies yn ysgwyd ei ben. 'Dyw e ddim ar y rhestr. Ond fe yw pennaeth y lle 'ma, felly mae'n rhaid ei fod o gwmpas yn rhywle.'

Yn y cefndir gallaf glywed sŵn hymian rhyw beiriant. Dw i'n gobeithio nad un o'r seneddwyr sydd yno, yn defnyddio eilliwr trydan o Dwrci mae Dad wedi'i anfon yma heb ddweud wrtha i.

Rydyn ni'n brysio i lawr y coridor a rownd cornel arall.

Dw i'n gweld beth sy'n gwneud y sŵn. Dyn mewn oferôls yn glanhau'r llawr.

'Esgusodwch fi,' medd Menzies wrth y glanhawr. 'Ydych chi'n gwybod ble mae'r Prif Weinidog?'

Dyw'r glanhawr ddim yn dweud dim nac yn diffodd ei beiriant. Dim ond pwyntio at ddrws mawr ymhellach i lawr y coridor.

'Diolch,' medd Menzies.

Mae'n rhedeg fel y gwynt tua'r drws. Dw innau'n ei ddilyn. Am eiliad dw i ddim yn siŵr pam rydyn ni'n rhedeg. Wedyn dw i'n sylweddoli. Mae hyn i gyd yn cymryd gormod o amser. Os bydd mam Menzies yn dihuno ac yn gweld ein bod ni wedi mynd, bydd hi'n ffonio Dave a gallen ni gael ein dal unrhyw eiliad.

Mae Menzies yn cyrraedd y drws ac yn codi ei law i guro arno.

'Does dim amser i wneud hyn 'na,' meddaf.

Dw i'n gwthio'r drws yn galed ac rydyn ni'n dau'n mynd i mewn.

I ddechrau, dw i'n meddwl ein bod ni wedi cerdded i mewn i lys barn. Mae dyn pwysig yr olwg yn eistedd yn y pen draw, yn union fel roedd pan oedd Gavin yn y llys. A bwrdd mawr a phobl yn sefyll wrtho.

Ond mae'r lle yma'n llawer mwy na llys barn Gavin. Ac mae'r seddi i gyd yn wyrdd. Mae llwythi ohonyn nhw'n codi fesul rhes ar bob ochr. Ac mae llwythi o bobl yn eistedd ynddyn nhw.

'O, caca,' anadla Menzies wrth fy ymyl.

Dw i'n gwybod beth mae'n ei feddwl.

Dw i wedi gweld hyn ar y teledu.

Dyma senedd go iawn wirioneddol Awstralia.

Mae fy mherfedd yn troi'n bowdr tatws potsh o Albania. Dw i eisiau rhedeg. Ond dw i ddim yn gwneud. Dw i'n meddwl am Jamal a Bibi.

Mae arfbais Awstralia yn fawr ar y wal yn union fel yn llys barn Gavin. Nid llys yw hwn ond mae'n edrych fel man lle mae cyfiawnder yn bwysig a dyna beth sydd ei angen ar Jamal a Bibi nawr.

Dw i'n mynd draw at y bwrdd ac yn syllu i fyny ar yr holl wynebau. Maen nhw i gyd yn edrych arna i nawr. Rhaid bod y Prif Weinidog yno yn rhywle ond mae fy ngwaed yn curo mor galed y tu ôl i'm llygaid, dw i'n methu ei adnabod e.

Os siarada i â phawb, bydd e'n cael ei gynnwys hefyd.

'Eich Anrhydedd a'ch Teilyngdod,' meddaf mor uchel ag y gallaf.

Dw i ddim yn gwybod a yw hynny'n iawn ond dw i'n gobeithio ei fod e.

'Wnaeth Jamal a Bibi ddim byd o'i le. Dyw hi ddim yn deg eu bod nhw'n cael eu cadw dan glo. Dim ond plant ydyn nhw, nid troseddwyr.'

Mae'r holl aelodau seneddol yn syllu arna i. Maen nhw'n edrych wedi'u synnu. Efallai eu bod nhw'n meddwl mai gyrwyr meddw neu rywbeth oedd Jamal a Bibi.

Mae'r dyn ym mhen draw'r ystafell yn codi ar ei draed. Dw i'n gallu dweud nad fe yw'r Prif

Weinidog, ond mae'n edrych fel petai'n meddwl ei fod e'n bwysig.

'Ddynion diogelwch,' gwaedda. 'Symudwch y plant yma o'r tŷ.'

O na. Maen nhw'n mynd i'n taflu ni allan. Dydyn nhw ddim yn poeni taten am Jamal a Bibi.

'Arhoswch,' rhua llais uchel wrth fy ymyl. 'Gwrandewch.'

Menzies yw e. Alla i ddim credu'r peth. Dw i erioed wedi'i glywed e'n bloeddio mor uchel.

'Dw i'n gwybod nad pobl greulon a chas ydych chi mewn gwirionedd,' medd Menzies, gan edrych ar y rhesi o wleidyddion. 'Ofni rydych chi, dyna'i gyd, achos yr holl filiynau o ffoaduriaid sydd yn y byd. Rydych chi'n ofni, os ydych chi'n garedig i'r ychydig rai sydd yma, y bydd y lleill i gyd eisiau dod. Wel, mae popeth yn iawn, fe allan nhw ddod.'

Mae'r aelodau seneddol i gyd yn syllu ar Menzies nawr, wedi'u syfrdanu braidd.

'Edrychwch ar America,' medd Menzies wedyn. 'Mae bron i dri chan miliwn o bobl yn byw yno. Mae Awstralia bron mor fawr ag America a dim ond ugain miliwn o bobl sydd yma. Felly mae digon o le i ffoaduriaid gyda ni. Fe gân nhw adeiladu dinasoedd newydd i ni. Diwydiannau newydd. Ein gwneud ni'n llwyddiannus wrth chwarae pêl-droed. Fe gaiff fy nhad drefnu'r cyfan. Fe yw'r Gweinidog dros Ddatblygiad Gwladol.'

Mae Menzies yn stopio, a'i wynt yn ei ddwrn.

Dw i eisiau ei gofleidio fe.

'Clywch, clywch,' gwaeddaf.

Ond does dim un o'r aelodau seneddol yn gweiddi hynny. Does neb yn syllu ar Menzies a nawr maen nhw'n edrych ar rywun sy'n eistedd yn un o'r seddi blaen wrth y bwrdd.

Tad Menzies.

Mae pawb yn dechrau chwerthin. Mae chwerthin mawr yn llenwi'r holl le.

Wedyn dw i'n gweld rhai pobl nad ydyn nhw'n chwerthin.

Dyw'r dyn swyddogol ym mhen draw'r bwrdd ddim yn chwerthin.

Na thad Menzies chwaith. Mae e'n rhythu ar Menzies, yn wyllt gacwn.

Dyw Menzies ddim yn chwerthin chwaith. Mae e'n edrych fel petai'n sylweddoli nawr beth mae e wedi'i wneud.

Y bobl eraill nad ydyn nhw'n chwerthin yw'r ddau gard diogelwch. Maen nhw'n rhuthro tuag aton ni, ac nid yw Dennis yn un ohonyn nhw.

Dw i'n cydio yn Menzies ac yn ei lusgo tuag at y drws.

Mae aelodau seneddol yn neidio ar eu traed i gael gwell golwg. Mae rhai ohonyn nhw, achos eu bod nhw'n bwysig iawn ac yn hoffi bod yn y blaen, yn mynd yn ffordd y dynion diogelwch.

Dw i'n gwthio'r drws ar agor, yn tynnu Menzies allan ac yn chwilio'n wyllt am ffordd i ddianc.

Does dim un.

Mae'r coridor yn llawn pobl sy'n rhedeg tuag aton ni o'r ddau gyfeiriad.

Nid dynion diogelwch.

Newyddiadurwyr.

Maen nhw'n dod o'n cwmpas ni i gyd, yn gweiddi cwestiynau ac yn tynnu lluniau.

'Beth yw dy enw di?'

'Beth yw dy oedran di?'

'Pwy ddwedodd wrthot ti am wneud hyn?'

Mae'r newyddiadurwyr wedi dod yn gylch mor dynn amdanon ni fel nad yw'r dynion diogelwch yn gallu dod tuag aton ni. Ond dw i ddim yn teimlo rhyddhad achos dw i newydd weld rhywbeth llawer mwy brawychus na dynion diogelwch.

Ar fy arddwrn.

Fy wats.

Wats i fenywod gan Cartier. Mae Cartier yn gwmni smart iawn o Ffrainc ac mae eu watsiau nhw'n costio miloedd o bunnau. Y drafferth yw, yn Taiwan cafodd fy wats i ei gwneud. Anghofiais i amdani pan aethon ni drwy'r canfodydd metel. Drwy lwc, wnaeth hi ddim gwneud i'r larwm ganu, achos nad oes llawer o fetel go iawn ynddi, siŵr o fod. Os bydd rhywun o Cartier yn dod i wybod, mae Dad mewn helynt mawr.

Mae'n rhaid i mi dynnu'r newyddiadurwyr yma oddi ar y trywydd.

Dw i'n dechrau drwy roi fy llaw y tu ôl i'm cefn.

'Dere, bach,' gwaedda gohebydd gan chwifio recordydd llais o'm blaen. 'Beth yw dy enw di?'

Dw i'n cymryd mai â fi mae e'n siarad achos roedd Menzies newydd ddweud wrth y senedd i gyd pwy yw ei deulu fe.

'Britney Spears,' atebaf. Dyna'r enw cyntaf sy'n dod i'm meddwl. Gobeithio nad oes ots gyda hi.

'Ble rwyt ti'n byw,' gwaedda gohebydd arall.

'Turkmenistan,' meddaf.

Os bydd Dad yn dod i wybod fy mod i wedi bod yn dweud yr holl gelwyddau hyn, bydd e wir yn drist, hyd yn oed os mai'r unig reswm dw i'n gwneud hyn yw er mwyn ei gadw allan o'r carchar. Dyna'r drafferth o fod â thad sydd mor onest.

'Beth dych chi'n ceisio ei gyflawni?' medd newyddiadurwraig sy'n edrych fel petai wedi penderfynu'n barod ein bod ni'n hollol ddwl ac mae hi eisoes wedi ysgrifennu hynny yn ei llyfr nodiadau.

'Ry'n ni'n ceisio gweld y Prif Weinidog,' atebaf. 'Ry'n ni'n ceisio gofyn iddo i beidio â chadw plant o dan glo.'

'Wel, fy merch i,' medd llais crac. 'Rydych chi'n mynd i gael eich dymuniad achos mae'r Prif Weinidog eisiau eich gweld chi nawr.'

Tad Menzies sydd yno, yn gwthio drwy'r cylch o newyddiadurwyr.

Mae'n cydio ynof i a Menzies.

'Gadewch lonydd iddyn nhw,' meddai'n swta wrth y newyddiadurwyr. 'Dim ond plant ydyn nhw.'

O'r olwg ddifrifol ar ei wyneb, gallaf weld ei fod yn dal i deimlo'n eithaf trist bod pawb yn chwerthin am ei ben. Wrth iddo ein llusgo ni'n dau i lawr y coridor, dw i'n gobeithio bod gwell hwyl ar y Prif Weinidog.

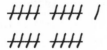

Mae gwell hwyl o lawer ar y Prif Weinidog.

Mae'n fy ngwahodd i a Menzies i eistedd i lawr yn ei swyddfa ac mae'n rhoi diod i ni o'i oergell, sy'n garedig iawn achos fel arfer mae'n siŵr bod gweision ganddo i wneud y math yna o beth.

Hyd yma dim ond gwenu mae e wedi'i wneud.

'Dw i'n dy nabod di, wrth gwrs, Menzies,' medd ef. Mae'n troi ataf i. 'A phwy wyt ti?'

'Bridget,' atebaf.

Does dim pwynt dweud celwydd. Mae'r Prif Weinidog yn adnabod Britney Spears yn bersonol, siŵr o fod.

'Bridget White,' medd tad Menzies, sy'n sefyll wrth ein hymyl gan edrych yn eithaf chwerw. Ar ôl y profiad mae e wedi'i gael yn y senedd, dw i'n credu ei fod e'n haeddu cael diod hefyd.

'Wel, Bridget a Menzies,' medd y Prif Weinidog. 'Ry'ch chi wedi cael noson a hanner.'

Dyw Menzies, sy'n edrych braidd yn welw a sâl, ddim yn dweud dim. Na finnau chwaith. Am y tro dw i'n canolbwyntio ar geisio eistedd yn naturiol gyda fy arddwrn â'r wats arno y tu ôl i'm cefn.

'Dw i eisiau diolch i chi'ch dau,' medd y Prif Weinidog. 'Am dynnu fy sylw at rai gwendidau yn ein system diogelwch. O ganlyniad i'ch direidi chi yma heno, bydd dau aelod o wasanaeth diogelwch y senedd yn cael eu hatal rhag gweithio ac yn cael eu hyfforddi eto. Hefyd, am y tro, fe fydda i'n atal aelodau seneddol neu staff y senedd rhag cael unrhyw ymwelwyr sy'n aelodau o'r teulu. Felly bydd y parti Nadolig i blant seneddwyr yn cael ei ganslo eleni.'

Er bod y pethau y mae'n eu dweud yn bethau cas, mae'n dal i wenu.

Mae hynny mor anonest.

'Gobeithio eich bod chi'ch dau'n fodlon,' medd tad Menzies.

O leiaf mae e'n edrych yn grac. Dw i'n gwybod ei fod e'n siom mawr i Menzies, ond o leiaf gall Menzies weld nad yw e mor anonest â'r Prif Weinidog.

'Dyna'r cyfan,' medd y Prif Weinidog. 'Oni bai bod rhywbeth gyda chi i'w ddweud.'

'Oes,' atebaf. 'Dw i eisiau gwybod pam rydych chi'n cadw plant diniwed o dan glo.'

Yn syth ar ôl i mi ddweud y geiriau, dw i'n sylweddoli fy mod i wedi siomi Jamal a Bibi.

Y Prif Weinidog yw hwn. Mae'n gyfarwydd â phobl yn dweud 'os gwelwch chi'n dda'. Mae'n gyfarwydd â phobl yn dweud petaech chi'n gallu bod mor hael ag ystyried ein cais ni eich anrhydedd, fe fydden ni'n hynod o ddiolchgar.

Pam na allwn i fod wedi dweud hynny?

Weithiau dylwn i gael fy arestio.

O wel, o leiaf mae'n edrych yn gas nawr, felly bydd beth bynnag y mae'n mynd i'w ddweud siŵr o fod yn wir.

'Mae carchariad gorfodol,' medd y Prif Weinidog, 'yn elfen hanfodol mewn strategaeth mewnfudo soffistigedig nad yw ei chanlyniadau cadarnhaol bob amser yn amlwg i'r rhai ansoffistigedig.'

Dw i'n ceisio deall beth yw ystyr hynny.

Dw i'n methu.

Mae'r Prif Weinidog yn cymryd ein diodydd oddi wrthym ac yn eu rhoi ar ei ddesg. Mae'n amneidio arnom i sefyll ac yn ein tywys tuag at y drws.

Mae tad Menzies yn camu ymlaen.

'Mae'r ddau'n ymddiheuro am yr embaras maen nhw wedi'i achosi,' medd ef, gan edrych arna i a Menzies. 'On'd ydych chi?'

Dw i ddim yn dweud dim. Na Menzies chwaith.

Mae'r Prif Weinidog yn agor y drws.

'Does dim angen ymddiheuro,' medd ef. 'Dw i ddim yn teimlo unrhyw embaras. Pan fydd y rhai sy'n gwrthwynebu polisïau fy llywodraeth yn cael rhagor o brofiad o'r byd a'u gallu gwybyddol yn cynyddu, fe fyddan nhw'n deall bod gwarchod ffiniau'n rhywbeth sy'n gyfan gwbl o fudd i'r wlad.'

Mae e'n cau'r drws y tu ôl i ni.

Unwaith eto dw i'n ceisio deall beth roedd e'n ei feddwl.

Does dim syniad gyda fi.

'Menzies,' sibrydaf wrth i ni ddilyn ei dad heibio i'r dyn diogelwch difynegiant ac i'r coridor. 'Beth oedd ystyr yr hyn ddwedodd e am ganlyniadau cadarnhaol ac ansoffistigedig?'

'Roedd y Prif Weinidog yn dweud,' ateba Menzies, 'fod y llywodraeth yn fawr ac yn gwybod beth sydd orau, ac ry'n ni'n fach a dy'n ni ddim yn gwybod.'

Nawr dw i'n deall.

Dw i'n meddwl bod y Prif Weinidog yn anghywir. Ac yn anghwrtais.

Dylai e gwrdd â Gavin, a allai ddweud wrtho pa mor dwp yw pledio'n ddieuog pan wyt ti'n euog.

'A hefyd,' meddaf wrth Menzies, 'beth oedd y Prif Weinidog yn ei feddwl pan ddwedodd e am yr holl bethau 'na sydd o fudd i'r wlad?'

'Roedd e'n golygu bod y llywodraeth yn ei wneud e ar ein rhan ni,' medd Menzies.

Dw i'n syllu arno.

Mae Menzies yn gallu gweld nad ydw i'n deall o hyd. Mae'n gwgu, fel petai'n ceisio meddwl am ffordd gliriach o'i ddweud e.

'Mae'r Prif Weinidog yn meddwl eu bod nhw'n cadw'r plant o dan glo er ein mwyn ni,' medd Menzies. 'Pobl Awstralia.'

'Ni?' meddaf. 'Ti a fi?'

'Ie,' medd Menzies.

Dw i wedi synnu cymaint nad ydw i'n sylwi'n syth ar beth mae tad Menzies yn ei wneud. Mae e'n ein llywio i swyddfa. Ei swyddfa fe yn ôl pob tebyg, o weld y ffotograff o fam Menzies a Menzies ar y ddesg.

Rydyn ni i gyd yn eistedd i lawr ar soffa neu ddwy.

Mae tad Menzies yn edrych yn graff ar Menzies.

'Mae'r hyn wnest ti heno'n anghywir,' medd tad Menzies. 'Yn anghywir iawn.'

Mae e fel petai dim ond yn siarad â Menzies, sy'n syllu ar y carped.

'Pan oeddwn i yn yr un oedran â ti,' aeth tad Menzies yn ei flaen, 'fyddwn i ddim wedi breuddwydio am wneud rhywbeth fel yna. Rhywbeth a fyddai'n creu embaras a chywilydd i 'nhad. Dim ots pa mor angerddol ro'n i'n teimlo am rywbeth.'

Mae'n aros, a nawr mae yntau'n edrych ar y carped hefyd.

Mae Menzies yn edrych mor ddiflas, dw i eisiau rhoi fy mraich amdano.

'Dyna pam,' medd tad Menzies, 'yn ogystal â theimlo'n flin a chrac, dw i'n teimlo ychydig yn eiddigeddus.'

Mae pawb yn dawel.

Dw i'n ceisio deall a glywais i hynna'n iawn.

Mae Menzies yn amlwg wedi penderfynu ei fod wedi'i glywed e'n iawn.

Mae e'n syllu ar ei dad mewn sioc.

Mae ei dad yn pwyso draw ac yn gwasgu ysgwydd Menzies.

Mae hyn yn wych. Efallai bod tad Menzies yn mynd i helpu Jamal a Bibi wedi'r cyfan. Dw i'n gallu gweld bod Menzies yn gobeithio'r un peth.

'Dw i eisiau i ti wybod hynny,' medd tad Menzies. 'Mae dau beth arall dw i eisiau i ti ei wybod. Y peth cyntaf yw na alla i newid polisi'r llywodraeth am ffoaduriaid. Ddim nawr, ddim byth.'

Mae Menzies yn ysigo yn ei sedd.

A minnau hefyd.

'Yr ail beth yw hyn,' medd tad Menzies, ac yn sydyn mae e'n edrych yn gas arna i.

'Yn y bywyd hwn,' medd ef, 'bydd yn ofalus iawn pwy rwyt ti'n ddewis yn ffrindiau.'

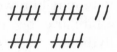

Ar y daith hir 'nôl i'r ysgol, dyw Menzies ddim yn teimlo fel siarad.

Na Dave chwaith. Mae'n edrych arna i unwaith neu ddwy yn y drych. Efallai ei fod e'n mynd i gael ei atal rhag gweithio hefyd.

Tybed a ddylwn i gynnig ysgrifennu tystlythyr ar ei ran.

I'r Sawl a Fynno Wybod. Mae Dave yn warchodwr da iawn ac mae'n bleser cael eich gwarchod ganddo. Yr unig reswm na rwystrodd ni rhag mynd i mewn i'r senedd-dy yw ei fod yn ymweld â'i fam.

Rhywbeth fel 'na.

Dw i'n penderfynu peidio. Mae Dave yn gyrru'n gyflym iawn a dw i ddim eisiau mentro gwneud iddo wyro.

Ar ôl tipyn, mae Menzies yn rhoi rhywbeth i mi. Llythyr oddi wrth Jamal.

'Fe gyrhaeddodd e ddoe,' medd ef. 'Roedden ni'n dau yn ceisio gwneud ein gwaith cartref fel y byddai Mr Galbraith yn rhoi caniatâd i ni fynd am y penwythnos ac anghofiais ei ddangos i ti.'

'Popeth yn iawn,' meddaf. 'Dw i'n deall.'

Roedd llawer o waith cartref gyda ni, diolch i Mr Creely. Ac weithiau mae hi'n well gan Menzies deimlo dros Jamal a Bibi ar ei ben ei hun.

Dw i'n darllen y llythyr.

Annwyl Menzies,

Mae gen i newyddion gwael. Mae fy nhad yn rhydd. Ddau ddiwrnod yn ôl rhoddodd y llywodraeth fisa iddo. Maen nhw wedi penderfynu ei fod e'n ffoadur go iawn, ond maen nhw'n dweud nad ffoaduriaid go iawn ydw i a Bibi a Mam ac mae'n rhaid i ni aros yn y ganolfan gadw yma.

Doedd Dad ddim eisiau mynd, ond roedd yn rhaid iddo fe. Dwedodd e wrthym ei fod yn mynd i Adelaide i geisio dod o hyd i gyfreithiwr i'n helpu ni. Mae hynny'n beth da, siŵr o fod, ond roedd e'n drist iawn.

Ry'n ni'n drist hefyd, ac yn ofnus. Bron fel pan gafodd Bibi a minnau ein gwahanu oddi wrth Mam a Dad ar y daith ar y llong ac roedden ni'n meddwl y byddai môr-leidr yn ein lladd ni ar ôl i Bibi ei alw'n gaca camel.

Mae dannedd Bibi yn gwynio bron bob dydd o hyd. Dw i'n dal i geisio trefnu'r gêm bêl-droed. Mae pethau'n mynd yn eithaf da. Mae tri gard wedi dweud y byddan nhw'n chwarae, a dau ddeg saith o ffoaduriaid. Efallai bydd rhaid i Bibi a

132

minnau chwarae yn nhîm y gardiau. Mae Bibi'n dweud y byddai'n well ganddi bod camel yn cicio ei dannedd i gyd allan.

Diolch am y bêl-droed wych, Menzies. Cyrhaeddodd hi ddoe. Agorodd y gardiau hi i chwilio am fomiau, felly byddaf yn ei thrwsio hi ar gyfer ein gêm ni. Paid â phoeni, fe allwn ni ymarfer gyda phêl sydd wedi'i gwneud o fagiau plastig o hyd. Weithiau dw i'n gallu bownsio'r bêl ddau ddeg o weithiau o'm troed i'm pen-glin i'm pen cyn i fy nghlun fynd yn rhy boenus.

Dw i'n ceisio bod yn obeithiol, ond mae'r carchar hwn yn llawn o boen. Roedd y dyn a geisiodd ddianc fis diwethaf yn sefyll wrth y ffens am chwe awr heddiw, yn gweiddi ar swyddfa'r llywodraeth o hyd ac o hyd.

'Pan fyddwch chi'n gwneud niwed i blentyn unwaith,' gwaeddodd, 'rydych chi'n teimlo'n wael. Pan fyddwch chi'n gwneud niwed i blentyn ddwywaith, dydych chi ddim yn teimlo cynddrwg. Pan fyddwch chi'n gwneud niwed i blentyn dair gwaith, dydych chi ddim yn teimlo dim.'

Mae'r un peth yn wir am bêl-droed. Mae rhai chwaraewyr yn drist os ydyn nhw'n gwneud niwed i bigwrn neu galon chwaraewr arall. Ond does dim gwahaniaeth gan eraill. Dydyn nhw ddim yn teimlo dim.

Gartref gwelais bobl yn gwneud niwed i blant a doedden nhw ddim yn drist. Roedden nhw'n codi eu breichiau i'r awyr fel tîm sydd wedi ennill.

133

Dw i'n meddwl bod pobl fel hyn yn Awstralia hefyd. Dw i'n drist achos ro'n i'n meddwl mai lle caredig oedd Awstralia.

Rwyt ti'n garedig, Menzies.

Rwyt ti'n rhoi adenydd i mi.

Trueni nad rhai go iawn ydyn nhw.

Dy ffrind,

Jamal

Dw i'n gorffen darllen y llythyr am y trydydd tro wrth i'r car aros. Rydyn ni mewn gorsaf betrol.

'Tŷ bach?' medd Dave.

Mae Menzies yn ysgwyd ei ben.

A finnau hefyd.

Mae Dave yn mynd allan o'r car.

'Fe allwn ni helpu Jamal a Bibi o hyd,' meddaf wrth Menzies.

Am eiliad mae gobaith yn fflachio yn llygaid Menzies.

'Sut?' medd ef.

Wedyn mae ei ysgwyddau'n syrthio.

'Mae hi'n anobeithiol,' medd ef. 'Fe welaist ti sut un yw 'nhad. Dyw e ddim yn ddigon dewr i helpu Jamal a Bibi. Dyw'r Prif Weinidog ddim yn poeni amdanyn nhw, hyd yn oed. Ac mae senedd Awstralia i gyd yn meddwl mai jôc fawr yw'r cyfan.'

'Rwyt ti'n iawn,' meddaf, gan edrych draw i wneud yn siŵr fod Dave o hyd yn nhai bach y dynion ac na all e glywed yr hyn dw i ar fin ei ddweud. 'Does dim gwahaniaeth gan y Prif Weinidog. Ond diolch iddo fe, dw i wedi sylweddoli beth sydd yn rhaid i ni ei wneud.'

'Ysgrifennu at y Pab?' medd Menzies yn ddiflas.

Dw i'n ysgwyd fy mhen.

'Mae'r Prif Weinidog yn meddwl mai er ein lles ni maen nhw'n gwneud hyn i gyd,' meddaf. 'Wel, os yw Jamal a Bibi'n cael eu cadw o dan glo er ein lles ni, dw i'n meddwl bod cyfrifoldeb arnon ni i wneud rhywbeth am y peth ein hunain.'

Mae Menzies yn syllu arna i, a'i lygaid bron yn fwy na'i sbectol.

'Rwyt ti'n meddwl . . ?'

'Ydw,' meddaf. 'Fe drefnwn ni iddyn nhw dorri allan o'r carchar.'

'Dw i wedi dod o hyd iddo,' meddaf.

Dw i'n tynnu atlas mawr llyfrgell yr ysgol i'r man lle mae Menzies yn eistedd wrth y cyfrifiadur.

'Rwyt ti wedi dod o hyd i'r ganolfan gadw?' medd Menzies.

'Ddim yn union,' meddaf. 'Dydyn nhw ddim yn rhoi canolfannau cadw mewn atlasau ysgol. Ond edrych, dyma'r gyffordd nesaf ati.'

Dw i'n pwyntio at yr atlas ac yna at sgrin y cyfrifiadur. Mae'r un gyffordd ar y map o'r ganolfan gadw ar wefan yr Adran Mewnfudo.

'Felly,' meddaf, gan bwyntio at ganol tudalen yr atlas, 'mae'r ganolfan gadw fan hyn.'

'Mae hi reit yng nghanol yr anialwch,' medd Menzies, wedi siomi. 'Sut awn ni yno?'

Dyna'n union dw i'n ei feddwl.

'Alla i ddim mynd i'r tŷ bach hyd yn oed heb i Dave ddod i wybod,' medd Menzies.

'Un broblem ar y tro,' meddaf. 'O leiaf ry'n ni'n gwybod ble mae'r ganolfan gadw.'

Rhaid dod o hyd i'r targed yn gyntaf, dyna roedd Wncwl Grub yn arfer ei ddweud pan oedd e'n lleidr. Ond roedd e'n arfer cadw at dargedau oedd wrth ymyl arosfannau bysiau.

'Edrych ar y ffens,' medd Menzies, gan glicio ar y wefan a chodi ffotograff o'r ganolfan gadw. 'Mae hi tua phum metr o uchder, gyda weiren rasel ar ei phen.'

'Fe fydd rhaid i ni dwnelu ein ffordd i mewn,' meddaf.

Rydyn ni'n dau'n syllu ar y sgrin mewn tawelwch.

Tybed a ddylwn i sôn wrth Menzies fy mod i'n anobeithiol gyda thwnelau. Ar y traeth, pan fydda i'n ceisio gwneud maes parcio tanddaearol, mae fy nghastell tywod o hyd yn cwympo hyd yn oed pan fydd Dad yn defnyddio bwrdd bwgi o Fwlgaria i'w atal rhag gwneud hynny.

Dw i'n edrych ar Menzies. O'r olwg ofidus ar ei wyneb, fe fyddwn i'n dweud ei fod e hefyd wedi claddu cranc neu ddau ar ddamwain.

Wedyn mae gen i syniad.

'Tad Jamal a Bibi,' meddaf. 'Fe allai e ein helpu ni.'

'Gallai,' medd Menzies, a'i lygaid yn goleuo. 'Mae e siŵr o fod wedi cael profiad o dwnelu yn yr anialwch yn Afghanistan. Ti'n gwybod, am ddŵr neu er mwyn dod allan o'i dŷ ar ôl storm dywod.'

Am ychydig eiliadau rydyn ni'n dau'n gyffrous iawn.

Wedyn dw i'n cofio rhywbeth.

'Y cyfan ry'n ni'n wybod yw ei fod e yn rhywle yn Adelaide,' meddaf. 'Sut gallwn ni ddod o hyd iddo?'

'Dim problem,' medd Menzies. 'Fe ysgrifenna i at Jamal i gael ei rif ffôn.'

Dw i'n meddwl am hyn.

'Fe fydd hynny'n cymryd gormod o amser,' meddaf. 'A beth os bydd y gardiau yn y ganolfan gadw yn darllen ateb Jamal cyn iddo ei bostio? Fe allen nhw fod yn amheus am y rheswm pam ry'n ni eisiau cysylltu â'i dad.'

'Popeth yn iawn,' medd Menzies. 'Dw i'n nabod plentyn y mae ei fam yn gweithio i'r Adran Mewnforio. Ro'n ni'n arfer mynd i bartïon Nadolig y senedd-dy gyda'n gilydd. Mae cyfrifiadur gyda nhw gartref sy'n gallu cysylltu â chronfa ddata'r adran. Yn bendant, fe fydd rhif ffôn gan yr adran i rywun sydd allan gyda fisa dros dro'n unig.'

Mae Menzies yn ymddangos yn eithaf hyderus, felly dw i'n barod i deimlo'n hyderus hefyd.

'Da iawn,' meddaf.

'Mae ei rif ffôn gyda fi yn fy ystafell,' medd Menzies. 'Fe af i i'w ffonio fe nawr, cyn i'r gloch ganu.'

Mae e'n rhuthro allan o'r ystafell, a bron â bwrw i mewn i ferch o flwyddyn tri sy'n dod i mewn â llond côl o bapurau newydd.

Mae Jamal yn iawn, meddaf wrth fy hunan. Ddylet ti byth rhoi'r ffidl yn y to, hyd yn oed os yw pethau'n edrych yn anobeithiol, ac nid ym maes pêl-droed yn unig. Ddwy funud yn ôl, roedd hi'n edrych yn anobeithiol o ran achub Jamal a Bibi. Nawr dw i'n meddwl y gallwn ni ei wneud e.

Mae'r ferch â'r papurau'n syllu arna i. Oherwydd ei bod hi'n ddydd Sul, siŵr o fod, a dyw'r llyfrgellydd ddim yma a dyw'r ferch ddim yn gwybod ble i adael y papurau.

Dw i'n mynd draw i roi help llaw iddi.

Mae hi'n dal i syllu arna i.

'Rwyt ti yn y papur,' medd hi, a rhedeg allan o'r llyfrgell.

Dw i'n edrych arni'n mynd, gan feddwl beth roedd hi'n ei feddwl.

Dw i'n codi papur newydd. A dw i bron â llewygu.

Ar y dudalen flaen mae llun enfawr ohono i yn y senedd-dy.

Mae'r pennawd hyd yn oed yn fwy.

MERCH O DEULU O DROSEDDWYR YN TORRI I MEWN I FYD GWLEIDYDDIAETH.

'Edrych ar hyn,' medd Chantelle, gan siglo'r papur newydd mor galed nes bod sbringiau ei gwely'n dechrau gwichian. '*Mae Bridget Podger, neu Bridget White, yn ferch i'r troseddwr Leonard Reginald Podger, neu Len White, a chwaer Gavin Kenneth Podger, neu Gavin White, sydd yn y carchar am ladrata ar hyn o bryd.*'

Mae fy mhen o dan y gobennydd ond dw i'n gallu ei chlywed hi o hyd.

Trueni na fyddai hi'n rhoi'r gorau i ddarllen.

Trueni na fyddai Antoinette yn gwneud hynny hefyd.

'O na,' gwichia Antoinette, gan siglo ei phapur newydd hithau hefyd, 'Gwrandewch ar hyn. *Yn ddiweddar dechreuodd Bridget Podger yn un o ysgolion preifat gorau Awstralia. Dywedodd y staff diogelwch ei bod wedi mynd i mewn i'r senedd-dy drwy esgus bod yn ffrind i fyfyriwr arall, mab gweinidog yn y llywodraeth. Mae hynny'n ofnadwy.*'

Dw i'n claddu fy mhen yn ddyfnach o dan fy ngobennydd ac yn edifaru dod â'r papurau newydd o'r llyfrgell i'n stafell ni. Fe ddylwn i fod wedi eu rhoi nhw i lawr y tŷ bach lle mae eu lle nhw.

Mae fy mywyd i wedi mynd i lawr y tŷ bach hefyd, ar ôl i'r un peth dw i wedi bod yn arswydo rhagddo ddigwydd o'r diwedd.

Dyw Menzies ddim yn sylweddoli pa mor ffodus yw e, bod ganddo dad sy'n gallu ei gadw allan o'r papurau.

'Bridget, Bridget.'

Llais gwyllt Veuve yn dod o'r drws. Dw i'n codi ar fy eistedd, rhag ofn bod newyddion gwaeth hyd yn oed. Pan fydd y wlad i gyd yn gwybod dy fod ti'n dod o deulu o droseddwyr, all pethau fynd yn llawer gwaeth.

'Bridget,' medd Veuve, gan ddod draw i'm helpu i godi. 'Rwyt ti ar y teledu. Dere i weld.'

Dw i'n syllu arni ac mae hi'n deall nad ydw i eisiau dod i weld.

Y tu ôl iddi mae'r coridor yn llawn plant sy'n ceisio cael cip arna i. Dw i'n tynnu fy nhafod allan arnyn nhw. Maen nhw'n gwichian mewn cyffro. Mae Chantelle yn cau'r drws yn eu hwynebau.

'Y twpsod,' medd hi o dan ei hanadl.

Mae Antoinette yn eistedd wrth fy ymyl ar fy ngwely ac yn rhoi ei braich amdanaf. Mae Chantelle yn dod ati ac yn dal fy llaw. Mae Veuve yn dod draw ac yn gwasgu fy ysgwydd.

'Druan â ti,' medd Antoinette.

Dw i'n syllu arnyn nhw, wedi synnu. Dw i'n droseddwraig. O deulu o droseddwyr. Pam maen nhw mor garedig?

'Mae'r papurau newydd 'na'n warthus,' medd Chantelle. 'Yn argraffu manylion personol am fywyd person. Fe wnaethon nhw 'na i Mam-gu pan aeth hi ar ei gwyliau i Surfers gydag archesgob.'

'Os wyt ti eisiau mynd â nhw i'r llys,' medd Veuve, 'fe rown ni dystiolaeth dy fod ti'n berson da ac nad wyt ti erioed wedi dwyn oddi arnon ni neu ein herwgipio ni.'

'Yn y stablau fan hyn,' medd Antoinette, 'ry'n ni'n gefn i'n gilydd.'

Dw i'n sychu'r dagrau o'm llygaid.

Am y tro cyntaf dw i'n deall sut mae Jamal yn teimlo pan fydd yn cael llythyr oddi wrth Menzies. Gwybod, hyd yn oed pan fydd y byd i gyd yn meddwl dy fod ti'n wael, fod rhywun yn credu ynot ti.

'Nid ti sydd ar fai achos beth yw gwaith dy dad,' medd Chantelle. 'Mae cwmni cyfreithwyr 'nhad yn helpu datblygwyr eiddo i fwrw tai hen bobl i lawr. Tasai rhywun yn fy nghyhuddo i o wneud hynny, fe fyddwn i'n poeri arnyn nhw.'

'Mae fy mam i'n llygru afonydd,' medd Antoinette. 'Ddim yn bersonol, ond ei ffatrïoedd hi.'

'Dw i'n meddwl ei fod e'n ofnadwy,' medd Veuve. 'Ar y teledu fe ddwedon nhw dy fod ti'n

142

berygl i gymdeithas ac yn dilyn ôl troed dy dad.' Mae hi'n edrych yn llawn embaras. 'Newydd-iadurwraig teledu yw Mam.'

'Ry'n ni'n credu dy fod ti'n ddewr iawn,' medd Antoinette. 'Yn gwneud safiad dros y plant yna sydd yn y ganolfan gadw. Fe welais i rai ar y teledu unwaith ac roedden nhw moooor annwyl.'

'Moooor annwyl,' medd Chantelle a Veuve.

Dw i'n cymryd anadl ddofn i ddiolch iddyn nhw i gyd am eu cefnogaeth, ond cyn y galla i wneud hynny, mae drws yr ystafell yn agor yn swnllyd ac mae Menzies yn rhuthro i mewn, a'i lygaid yn fawr ac yn gyffrous y tu ôl i'w sbectol gam.

'Bridget,' medd ef. 'Dw i wedi siarad â tad Jamal. Mae e'n mynd i'n helpu ni.'

Dw i ddim yn gwybod beth i'w ddweud.

Mae'r merched i gyd yn syllu ar Menzies.

Dw i'n gallu gweld ei fod e'n meddwl efallai na ddylai fod wedi dweud dim o'u blaenau nhw.

Wedyn mae e'n sylwi ar y papurau newydd sydd dros y gwelyau i gyd. Mae'n darllen y penawdau amdana i. Mae'n codi papur ac yn ei ddarllen.

Mae e'n edrych wedi rhyfeddu, ond dw i'n gallu gweld nad yw e wedi sylweddoli'r gwirionedd ofnadwy eto.

Sut galla i feddwl am achub Jamal a Bibi pan mae fy nheulu fy hunan yn wynebu trychineb llwyr?

Mae hi tua 2.35 y bore ac rydw i'n mynd i gyfeiriad y gogledd ar draws maes criced yr ysgol.

Dw i'n syllu i fyny ar yr awyr. Mae miliynau o sêr yn disgleirio fel clustdlysau perl wedi'u gwasgaru dros y teils du ar lawr cegin Mam.

Dw i'n meddwl am y ffoaduriaid yn eu carchar yn yr anialwch. Efallai eu bod nhw'n syllu ar y sêr fel fi. Yn meddwl fel fi, tybed a fydd eu dioddefaint fyth yn dod i ben.

Mae'n ddrwg gen i, Jamal a Bibi.

Roeddwn i eisiau eich helpu chi, wir.

Ond nawr mae'n rhaid i mi fynd at Mam a Dad fel y gallan nhw weiddi arna i am ddod â'r teulu i sylw'r cyfryngau. Wedyn, gallaf eu helpu i bacio'r tŷ er mwyn i ni symud i wlad arall.

Fe fydd rhaid i ni newid ein henwau eto fel na fydd neb yn gallu dod o hyd i ni, ddim hyd yn oed ein ffrindiau.

Neu gael llawdriniaeth blastig.

Neu wigiau o leiaf.

Mae'r sêr yn pylu nawr. Dw i'n sychu'r dagrau ac yn canolbwyntio ar fy nghynllun i ddianc. All Dave y gwarchodwr fyth ofalu am ysgol gyfan o'r maint yma. Fe arhosa i tan i'r lleuad fynd y tu ôl i gwmwl, wedyn fe ddringa i dros y ffens ar yr ochr.

'Bridget.'

Dw i'n rhewi.

Mae rhywun newydd sibrwd fy enw.

Dw i'n chwilio'n wyllt am rywle i guddio. Dyna'r drafferth wrth ddianc ar draws maes criced. Dim coed na phorfa hir. Does dim un cangarŵ hyd yn oed i fynd y tu ôl iddo.

Dw i'n dechrau rhedeg.

Gallaf glywed sŵn traed trwm yn dod ar fy ôl.

Sut roedd e'n gwybod? Sut roedd Dave yn gwybod fy mod i'n mynd am y ffens ar yr ochr? Yr hyfforddiant, siŵr o fod. Mae'n rhaid eu bod nhw'n gwneud cwrs arbennig mewn ffensys.

Dw i'n edrych yn sydyn dros fy ysgwydd i weld pa mor agos yw e. Ac yn sefyll yn stond. Nid Dave sydd â'i wynt yn ei ddwrn yn rhedeg tuag ataf o'r tywyllwch.

'Menzies,' meddaf. 'Beth wyt ti'n wneud yma?'

Dyw e ddim yn dweud dim am dipyn, dim ond anadlu'n drwm. Ond dw i'n gallu gweld wrth ei wyneb ei fod e'n eithaf trist. Mae'n rhaid ei fod wedi dyfalu beth dw i'n mynd i'w wneud.

O'r diwedd mae'n llwyddo i siarad.

'Mae Dave wedi mynd,' medd ef.

'Beth wyt ti'n feddwl, wedi mynd?' gofynnaf.

145

'Mae e wedi cael gorchymyn i fynd 'nôl i Canberra,' medd Menzies. 'Fe ddihunais i pan lithrodd e nodyn o dan fy nrws. Erbyn i mi fynd lawr i'r maes parcio roedd e wedi mynd. Dyna pryd gwelais i ti.'

Syllais ar Menzies, gan geisio deall hyn i gyd.

'A ddwedodd e ddim hwyl fawr, hyd yn oed?' sibrydaf.

Mae Menzies yn edrych ar y llawr.

'Fydd gwarchodwyr byth yn gwneud,' medd yn drist. 'Dyna sut maen nhw'n cael eu hyfforddi.'

Rydyn ni'n edrych ar ein gilydd mewn tawelwch.

Mae rhan ohonof yn meddwl, trueni na ches i hyfforddiant i fod yn warchodwr hefyd. Anodd iawn yw dweud hwyl fawr wrth dy ffrind gorau.

'I ble rwyt ti'n mynd?' medd Menzies.

Dw i wedi bod yn ofni y byddai'n gofyn. Ro'n i'n gobeithio na fyddai'n rhaid i mi ddweud y geiriau. Byddai gadael neges wedi bod yn llawer gwell.

Alla i ddim.

'Dw i'n mynd adref,' meddaf. 'I ddechrau bywyd newydd yn rhywle arall gyda Mam a Dad.'

Nawr, fi yw'r un sy'n syllu ar y llawr. Fi yw unig ffrind Menzies hefyd. Fe fydd e ar ei ben ei hun yn y lle 'ma. Dw i'n casáu meddwl am hynny.

Rydyn ni'n edrych ar ein gilydd eto.

'Diolch am fod yn ffrind i mi,' sibrydaf. 'Mae'n ddrwg gen i na ddwedais i hwyl fawr o'r blaen.'

Dyw Menzies ddim yn dweud dim.

Dw i'n ceisio meddwl am rywbeth hapus i'w ychwanegu.

'Nawr bod Dave wedi mynd, fe fyddi di'n gallu achub Jamal a Bibi.'

Dw i'n gwybod ei fod e'n dwp hyd yn oed cyn i mi orffen ei ddweud e.'

Mae Menzies yn dawel am dipyn. Yna mae'n ysgwyd ei ben.

'All un person ddim gwneud dim byd fel 'na,' medd ef. 'Hyd yn oed taswn i wedi cael fy hyfforddi.'

Dw i'n gwybod. Nawr dw i'n teimlo hyd yn oed yn waeth.

'Mae'n ddrwg gen i,' meddaf. 'Trueni bod yn rhaid i mi adael. Ond bydd rhaid i mi fynd i guddio gyda fy nheulu.'

Mae Menzies yn camu tuag ata i ac am eiliad dw i'n meddwl ei fod e'n mynd i gydio ynof i. Ond dyw e ddim yn gwneud. Mae'n gwthio ei sbectol i fyny ei drwyn ac yn edrych arna i, a'i lygaid yn fawr ac yn bryderus.

'Bridget,' medd ef. 'Beth os nad yw dy rieni eisiau i ti fynd i guddio gyda nhw?'

Dw i'n syllu arno.

Yn sydyn dw i eisiau cydio ynddo fe. A'i ysgwyd.

Dim ond oherwydd efallai ei fod e'n iawn.

Dw i newydd ddatgelu gorffennol euog fy nheulu i bob papur newydd a sianel deledu a sioe radio yn Awstralia. Petawn i'n Mam a Dad, byddwn i'n wyllt gacwn. Efallai mor wyllt, fyddwn i ddim eisiau fy nghael i yno hyd yn oed.

Mae Menzies yn dal i edrych arna i, a'i lygaid yn fawr.

Dw i'n sylweddoli beth mae'n ei wneud.

'Does dim amser gyda fi i achub ffoaduriaid,' meddaf wrtho o dan fy ngwynt. 'Dw i newydd roi fy nheulu mewn perygl ac mae'n rhaid i mi ddod o hyd i ryw ffordd o'u hachub nhw.'

'Yn union,' medd Menzies. 'Dyna beth dw i'n ceisio'i ddweud. Efallai mai'r ffordd orau i ti eu helpu nhw yw peidio rhedeg bant. Efallai mai aros fan hyn yw'r ffordd orau, cael marciau da a dod yn llwyddiannus yn y gymdeithas ac ennill parch i'r teulu cyfan.'

Dw i'n syllu arno am amser hir, gan feddwl am hyn.

Yn sydyn dw i eisiau ei gofleidio achos mae e'n iawn, ac achos ei fod yn ffrind i mi.

Dyna pam anfonodd Mam a Dad fi i'r ysgol hon, i ennill parch ac edmygedd i'n teulu ni.

Yn sydyn mae popeth yn llawer mwy eglur.

Yn sydyn dw i'n teimlo'n llawer gwell.

Trueni bod Menzies yn edrych mor drist.

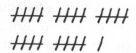

Mae fy mherfedd yn corddi braidd wrth i mi gerdded ar draws y buarth tuag at swyddfa'r prifathro.

Dw i wedi blino achos dw i wedi bod ar ddihun am hanner y nos yn cynllunio fy ngyrfa fel cyfreithiwr yn y dyfodol.

Hefyd dw i'n ofnus achos dw i erioed wedi ymddiheuro i brifathro am fy nheulu o'r blaen, a dw i ddim yn siŵr iawn pa mor dda fydda i.

Ond tristwch yw'r peth mwyaf sy'n gwneud i'm perfedd gorddi.

Dw i'n meddwl am Jamal a Bibi o hyd.

Mae'n rhaid i mi atal hynny.

Dw i'n aros ar risiau'r prif adeilad ac yn edrych i fyny ar arwyddair yr ysgol sydd dros y fynedfa. Mae e yn Lladin ond dw i'n gwybod beth mae'n feddwl.

Agored yw Ein Meddyliau a Chryf yw Ein Calonnau.

Rhaid i mi fod yn gryf. Mewn ychydig flynyddoedd pan fydda i'n rhoi araith wych i reithgor yn yr uchel lys, ac maen nhw ar fin cytuno bod fy nghleient yn cael bwrw rhyw hen dai rhacs i lawr er mwyn adeiladu bloc swyddfa gwych, dw i'n gorfod bod yn ddigon cryf i beidio â meddwl am Jamal a Bibi a dechrau crio o flaen pawb.

Yn hytrach, mae'n rhaid i mi fod yn gryf yn fy nghalon a meddwl am Mam a Dad. Maen nhw mor falch o'm llwyddiant. Maen nhw mor ddiolchgar am yr edmygedd a'r parch dw i'n ei roi i enw Podger neu White neu beth bynnag ry'n ni'n galw ein hunain ar y pryd.

Agored yw Ein Meddyliau a Chryf yw Ein Calonnau.

Dw i'n ailadrodd hyn sawl gwaith i mi fy hunan wrth i mi ddringo'r grisiau a mynd mewn i'r adeilad. Mae'n fy helpu i beidio â meddwl am Jamal a Bibi.

Bron iawn.

Dw i ddim yn peidio â meddwl amdanyn nhw'n llwyr tan i mi edrych i lawr y coridor heibio i'r paentiadau olew go iawn a'r ffiolau porslen drudfawr go iawn ac yn gweld pwy sy'n eistedd yn ddiflas ar soffa ledr go iawn y tu allan i swyddfa'r prifathro.

Mam a Dad.

Wrth i mi gyrraedd Mam a Dad, mae'r prifathro'n camu allan o'i swyddfa.

'Diolch yn fawr am ymateb mor gyflym i'r alwad, Mr a Mrs White,' medd Mr Galbraith gyda gwên. 'Hoffech chi ddod i mewn i'r swyddfa?'

Wedyn mae'n fy ngweld i.

'O,' medd ef, 'Mae eich merch gyda chi.'

Mae Mam a Dad yn edrych i fyny, wedi synnu.

Welon nhw mohono i'n dod. Roeddwn i wedi cropian ar hyd y coridor yn dawel oherwydd roeddwn i eisiau ceisio gweld sut hwyl oedd arnyn nhw. Yn grac, neu'n grac iawn. Ond mae eu hwynebau'n fwy trist na chrac. Mae hynny'n gwneud i mi deimlo hyd yn oed yn waeth.

'Os ydyn ni'n mynd i siarad am ein merch ni,' medd Mam wrth Mr Galbraith, 'fe ddylai hi glywed hefyd.'

'Wrth gwrs,' medd Mr Galbraith.

Wrth iddo ein tywys i'w swyddfa, dw i'n ceisio

dal llygad Mam neu Dad i adael iddyn nhw wybod bod popeth yn mynd i fod yn iawn.

Dw i ddim yn llwyddo.

Mae Mam, Dad a Mr Galbraith yn eistedd. Does dim cadair arall felly dw i'n sefyll ar fy nhraed.

'Wel, Bridget,' medd Mr Galbraith, gan wenu arna i. 'Dw i'n clywed i chi gael tywydd hyfryd ar eich taith i Canberra.'

Cyn i mi allu ateb, mae'n troi at Mam a Dad, sy'n edrych wedi drysu braidd.

'Mr a Mrs White,' medd Mr Galbraith. 'Dw i'n mynd i siarad yn blwmp ac yn blaen. Roedd ymddygiad eich merch yn Canberra i'w ganmol o ran gosod targedau personol, cynllunio strategaeth a nod iddi, a gweithredu agenda wedi'i bennu ymlaen llaw.'

Mae Mam a Dad yn edrych wedi drysu'n llwyr. Dw i ddim yn synnu. Mae Mr Galbraith yn swnio'n union fel y Prif Weinidog.

'Yn anffodus, serch hynny,' aiff Mr Galbraith yn ei flaen, 'doedd natur ddramatig ei hymddygiad ddim yn dilyn traddodiad yr ysgol hon o ymatal rhag ymddwyn yn anweddus. Mae fy nghyd-weithwyr ar fwrdd yr ysgol yn poeni'n fawr efallai nad yr ysgol hon yw'r un fwyaf addas i ddatblygiad Bridget yn y dyfodol. Felly, ry'n ni'n teimlo, er lles Bridget, y dylai hi gael ei thynnu 'nôl o'r rhestr gofrestru.'

'Y?' medd Dad.

'Dw i ddim yn deall,' medd Mam.

Gan fy mod i bellach yn dysgu'r iaith mae pobl bwysig yn ei siarad, dw i'n deall.

'Dw i'n cael fy nhaflu mas,' sibrydaf wrth Mam a Dad.

'Ei thaflu mas?' ochneidia Mam.

'Tynnu 'nôl yw'r term ry'n ni'n ei ddefnyddio,' medd Mr Galbraith.

Mewn anobaith dw i'n agor fy ngheg i ddweud wrtho fy mod i wedi newid. Fy mod i'n rhoi'r gorau i geisio helpu ffoaduriaid. Fy mod i'n anelu at fod yn brif ferch yn yr ysgol ac yn gyn ddisgybl o fri.

Cyn y gallaf wneud hynny, mae Dad yn sefyll ar ei draed.

'Arhoswch eiliad, nawr,' medd ef. 'Roedd fy merch yn Canberra ar neges yn llawn trugaredd a thosturi. Ac os dw i'n cofio Lladin yn iawn, mae trugaredd a thosturi'n rhan o arwyddair yr ysgol.'

'Agored yw Ein Meddyliau a Chryf yw Ein Calonnau,' medd Mr Galbraith.

'O'r gorau,' medd Dad. 'Dw i ddim yn hollol gywir. Ond roedd fy merch yn hollol gywir wrth fod eisiau helpu plant bach sy'n cael eu cadw dan glo. Dw i'n falch o'r hyn wnaeth Bridget yn Canberra.'

'Leonard,' medd Mam yn dawel. 'Eistedd.'

Mae Dad yn dal i sefyll ar ei draed.

Dw i eisiau ei gofleidio fan hyn yn swyddfa'r prifathro. Does dim ots gyda fi os yw cofleidio yn erbyn pob rheol yn yr ysgol ac os caf i fy nghadw i mewn filiwn o weithiau ar fy niwrnod olaf.

Cyn y gallaf wneud hynny, mae Mr Galbraith yn codi ar ei draed.

'Rydyn ni'n falch o Bridget, hefyd, Mr White,' medd ef. 'Mewn rhyw ffordd. Ond mae datganiad cenhadaeth yr ysgol hon yn eglur. Rhaid i ni drosglwyddo'r gwerthoedd a'r dulliau gorau o ymddwyn i bobl ifainc o'r teuluoedd gorau. Dw i'n siŵr eich bod chi'n deall yr hyn dw i'n ei ddweud. Mae mab gweinidog yn y llywodraeth wedi'i gofrestru yma.'

'Dw i'n gwybod,' medd Dad. 'Roedd e yn fy mharti pen-blwydd i.'

Mae Mr Galbraith yn syllu ar Dad am eiliad. Wedyn mae ei lygaid yn culhau ychydig.

'Mae arna i ofn bod penderfyniad bwrdd yr ysgol yn un terfynol,' medd ef. 'Os hoffech chi gael gwasanaeth cynghori, fe allwn ni eich cyfeirio chi at therapydd galar ardderchog.'

Mae llygaid Dad yn culhau hefyd. Dyw hynny ddim yn arwydd da. Dyw Dad ddim yn colli ei dymer yn aml, ond pan fydd hynny'n digwydd, rhaid bod yn ofalus. Rhoddodd e ergyd i dostiwr o Fwlgaria unwaith pan welodd mai copi rhad wedi'i wneud yn Latvia oedd e.

Mae Mam yn codi ar ei thraed.

'Mr Galbraith,' medd hi. 'Fe ddewison ni'r ysgol hon achos roedden ni eisiau i'n merch ni gael mwy nag oedd hi'n gallu'i gael oddi wrthon ni. Ond os ydych chi'n dweud wrthon ni fod ei thosturi hi yn groes i werthoedd yr ysgol hon, dw i'n credu ein bod ni'n gwastraffu ein harian.'

Mae Mr Galbraith yn edrych ar Mam a Dad yn drist a llawn edifeirwch.

'Dw i'n ofni efallai bod pwynt da iawn gyda chi fan 'na, Mr a Mrs White,' medd ef. 'Ydych chi wedi ystyried ysgol arferol i Bridget? Mae rhai arbennig o dda a fyddai'n sicr yn rhoi mwy i'ch merch nag y gallai hi ei gael oddi wrth bobl fel chi a'ch gŵr.'

Mae llygaid Mam yn culhau nawr, arwydd gwael iawn. Pan aeth ei chefnder Rooster yn feddw mewn clwb nos unwaith a sarhau menyw, aeth Mam draw i'w dŷ'r diwrnod canlynol a'i fwrw â chaserol cyw iâr.

Mae'n rhaid i mi wneud rhywbeth.

Dim ond gwneud pethau'n waeth fydd Mam wrth fwrw Mr Galbraith.

Efallai y dylwn siarad nawr a dweud wrth bawb am fy nghynllun i fod yn gyfreithiwr llwyddiannus. Ond dw i ddim yn siŵr fy mod i eisiau bod yn un mwyach.

Cyn i mi allu meddwl am rywbeth arall i'w ddweud, mae twrw mawr y tu allan yn y coridor yn gwneud i ni i gyd droi.

Mae'r drws yn agor led y pen. Mae Mr Creely'n dod i mewn. O'i flaen mae'n cydio mewn dyn byr mewn crys hir. Y tu ôl i'r ddau mae Menzies, a'i sbectol yn gam a'i wyneb yn binc mewn arswyd.

'Ymddiheuriadau am dorri ar eich traws chi, Brifathro,' medd Mr Creely. 'Fe wnes i restio'r dyn yma'n ceisio torri i mewn i adeilad y bechgyn. Dw i'n meddwl efallai mai terfysgwr yw e.'

'Tad Jamal yw e,' medd Menzies.

Mae Galbraith yn codi'r ffôn. 'Miss Pryne,' medd ef. 'Mae rhywun wedi torri i mewn. Galwch yr heddlu a rhowch gynllun gwrthderfysgaeth yr ysgol ar waith.'

'Nid terfysgwr yw e,' meddaf. 'Tad yw e.'

'Aros eiliad, Briget,' medd Dad. Mae'n troi at Menzies. 'Hwn yw tad y plant 'na yn y ganolfan gadw?'

Mae Menzies yn nodio.

Mae tad Jamal yn rhoi'r gorau i wingo yng ngafael Mr Creely ac yn edrych ar Dad.

'Mr White dych chi?' medd ef. 'Tad Bridget? Fe ddwedodd Menzies wrtha i amdanoch chi ar y ffôn.'

'Podger yw'r enw,' medd Dad. 'Len Podger. Tad Bridget Podger. Braf cwrdd â chi.'

'Mohammed Houssini,' medd tad Jamal. Mae e'n rhoi gwên obeithiol i ni i gyd. Ond hyd yn oed wrth iddo wenu, mae'n dal i edrych yn flinedig a gofidus.

Mae Dad yn edrych ar Mr Creely, sy'n dal i gydio'n dynn ym mreichiau tad Jamal.

'Gollyngwch eich gafael,' medd Dad. 'Mae e gyda fi.'

Alla i ddim credu'r peth. Mae fy nhad yn fwy rhyfeddol nag y sylweddolais i erioed.

Mae Mr Creely yn gafael yn dynnach yn nhad Jamal druan. Mae llygaid Dad yn culhau. Mae e'n rhoi ei law ym mhoced fewnol ei siaced ac yn camu tuag at Mr Creely.

Mae Mr Creely yn gollwng tad Jamal ac yn camu'n nerfus am 'nôl. Mae Dad yn tynnu gameboy o Fwlgaria allan ac yn ei roi yn llaw Mr Creely.

'Cer i chwarae Alien Invaders,' medd Dad.

Dw i'n teimlo fel gweiddi hwrê. Pan fydda i'n gyfreithiwr dros hawliau ffoaduriaid, bydda i'n adrodd y stori hon mewn cynadleddau.

'Mr a Mrs White,' medd Mr Galbraith yn gandryll. 'A fyddech chi cystal â mynd â'ch merch o 'ma nawr a gadewch i ni ddelio â'r tresmaswr yma.'

'Nid tresmaswr yw e, syr,' medd Menzies. 'Fi roddodd wahoddiad iddo fe.'

Mae Mr Galbraith yn edrych fel petai'n mynd i daflu Menzies o'r ysgol hefyd. Cyn iddo allu gwneud hynny, mae Dad yn camu draw ato.

'Dw i wedi darllen llythyrau wedi'u hysgrifennu gan fab y dyn 'ma,' medd Dad wrth Mr Galbraith. 'Mae'r dyn 'ma wedi mentro popeth er mwyn ei blant, gan gynnwys ei fywyd. Edrychwch yn graff ar y rhieni yn yr ysgol 'ma a dwedwch wrtha i sawl un ohonyn nhw sydd wedi gwneud hynny.'

Am eiliad dyw Mr Galbraith ddim yn gwybod beth i'w ddweud. Wedyn mae e'n gwthio ei ên ymlaen.

'Dyna fyddwn i'n ei ddisgwyl,' medd ef. 'Troseddwr yn cadw cefn troseddwr. Allan â chi.'

Mae Dad yn gwthio ei ên allan at Mr Galbraith.

'Leonard,' medd Mam yn gwta.

Mae hi'n llywio tad Jamal tua'r drws ac yn amneidio ar y gweddill ohonom i'w dilyn. Mae Mr Creely'n camu ymlaen fel petai'n mynd i geisio atal tad Jamal rhag gadael. Mae Dad yn rhythu arno ac mae Mr Creely'n camu 'nôl.

'Dewch,' medd Dad wrtha i a Menzies. 'Gadewch i ni fynd cyn i mi anghofio 'mod i'n berson sydd ddim yn torri'r gyfraith.'

Ar y ffordd dw i'n cydio yn y cymysgydd o Rwsia sydd ar ben cabinet ffeilio Mr Galbraith.

Dyw e ddim yn ei haeddu fe.

Rydyn ni i gyd yn cerdded i lawr y coridor heibio i'r paneli pren a'r ffiolau a'r paentiadau, sydd ddim yn edrych mor 'go iawn' mwyach.

Mae nifer ohonon ni'n crynu. Fi, a Menzies i ddechrau. Mae dwylo Dad yn crynu, er gallai hynny fod oherwydd y straen o gael merch sydd wedi dod â'r teulu i sylw cyfryngau'r wlad ac sydd wedi cael ei thaflu o'r ysgol yn yr un wythnos.

Mae Mam yn edrych fel petai wedi ymlacio. Esgus mae hi, siŵr o fod, fel bod tad Jamal yn teimlo ei fod mewn dwylo diogel.

Dyw tad Jamal ddim yn crynu o gwbl. Mae'n edrych wedi blino'n lân ond yn ddigon pwyllog. Pan fyddwch chi wedi byw drwy ffrwydradau a môr-ladron a chanolfannau cadw, mae'n debyg nad yw prifathro boslyd yn ddim byd mawr.

Wrth i ni adael yr adeilad, mae rhywun yn galw fy enw. Chantelle yw hi. Mae hi'n rhuthro draw gyda Veuve ac Antoinette.

'Bridget,' medd hi'n gyffrous. 'Dw i newydd

ffonio fy nhad. Mae'n dweud, os gwnei di raddio o'r brifysgol gydag anrhydedd dosbarth cyntaf ac os na chei di dy arestio eto, fe fydd e'n rhoi swydd i ti yn ein cwmni cyfreithwyr ni.'

'Diolch,' meddaf.

Dw i'n penderfynu peidio â sôn am fy nghynllun gyrfa newydd nawr. Ond dw i'n cael syniad.

'Ydy dy dad yn cymryd achosion ffoaduriaid?' gofynnaf iddi.

Mae Chantelle yn sylwi ar dad Jamal am y tro cyntaf. Mae hi'n edrych yn amheus arno.

'Dw i'n meddwl ein bod ni braidd yn brysur yn y llys ar hyn o bryd,' medd hi. 'Ry'n ni'n erlyn cwmni adeiladu.'

'Beth amdanat ti, Menzies,' medd Antoinette. 'Pam nad yw dy dad yn helpu'r ffoaduriaid? Neu a yw e'n rhy brysur yn gwario ein trethi ni ar dripiau tramor?'

Mae Menzies yn edrych wedi'i frifo ond dyw e ddim yn dweud dim. Mae tad Jamal yn rhoi ei law ar ysgwydd Menzies.

'Popeth yn iawn, Menzies, dw i'n deall,' medd yn dawel. 'Gwleidydd yw dy dad, a rhaid i wleidyddion wneud yr hyn sy'n iawn i wleidyddiaeth. Mae'r un peth yn digwydd yn fy ngwlad i.'

'Yn Awstralia,' medd Dad o dan ei anadl, 'mae'n well gyda ni iddyn nhw wneud yr hyn sy'n iawn.'

Mae tad Jamal yn troi ato.

'Mr Podger,' medd ef. 'Wnewch chi helpu fy nheulu i?'

Yn sydyn, dyw Dad, a oedd ar fin dweud rhagor o bethau am wleidyddion, ddim yn gwybod beth i'w ddweud.

'Dw i'n gofyn i chi,' medd tad Jamal, 'achos eich bod chi'n ddyn pwerus. Fe ddwedodd Menzies wrtha i eich bod chi'n mewnforio nwyddau. Yn Afghanistan, mae mewnforwyr yn ddynion cyfoethog a phwerus hefyd. Dw i'n ymbil arnoch chi, Mr Podger, fel dinesydd pwysig a pharchus, helpwch ni, os gwelwch chi'n dda.'

Dyw Dad ddim yn gwybod beth i'w ddweud. Na Mam.

'Mae fy mab a'm merch yn blant da,' medd tad Jamal wedyn. 'Maen nhw'n ceisio rhoi anrhegion i'r gardiau, maen nhw'n ceisio chwarae pêl-droed gyda nhw, ac unwaith fe geisiodd Jamal bobi bara ar gyfer eu paned te nhw yn y bore gan ddefnyddio blawd a hadau porfa'n unig. Ond dw i'n poeni amdanyn nhw. Mae dannedd Bibi'n gwynio, a dwi'n ofni bod rhyw gynllun peryglus ar y gweill gyda Jamal.'

Mae tad Jamal yn oedi, a'i lygaid tywyll yn llawn gofid.

Dw i'n meddwl tybed a ddylwn ddweud wrtho beth yw cynllun Jamal. Dw i'n penderfynu peidio. Does dim pwynt rhoi mwy o ofid iddo.

'Mae rhywbeth gwaeth, Mr Podger,' medd tad Jamal. 'Dw i'n poeni y bydd Jamal a Bibi a 'ngwraig yn cael eu hanfon 'nôl i Afghanistan hebddo i. Mae fy ngwlad mewn anhrefn. Yr arglwyddi rhyfel sy'n rheoli. Maen nhw o grŵp hil gwahanol ac maen nhw'n casáu fy mhobl i. Tasen nhw'n gallu, fe fydden nhw'n lladd fy nheulu.'

Dw i'n syllu mewn arswyd ar dad Jamal. Mae hyn hyd yn oed yn waeth na dannedd yn gwynio a phibellau plastig yn dy stumog.

Mae tad Jamal yn cydio ym mraich Dad.

'Ry'ch chi'n dad hefyd, Mr Podger. Dw i'n gwybod y byddech chi'n marw dros eich teulu fel fi. Ond dw i'n ofni na fydd fy mywyd i'n ddigon. Plîs a wnewch chi helpu fy mhlant i?'

Mae tad Jamal yn edrych ar Dad â chymaint o urddas ac anobaith hefyd, dw i eisiau crio.

Dw i'n gallu gweld bod Dad o dan deimlad hefyd. Dw i hefyd yn gallu gweld beth mae e'n feddwl.

Mae gen i fab yn y carchar hefyd. Alla i ddim helpu fy mab fy hunan, hyd yn oed.

Mae Dad yn edrych ar Mam.

Dw i'n gwybod beth mae hi'n ei feddwl hefyd.

Ein teulu ni. Mae'n rhaid i ni ofalu am ein teulu ni'n gyntaf.

Ond dw i'n anghywir achos mae Mam yn gwneud peth rhyfeddol. Mae hi'n nodio ar Dad.

Mae Dad yn edrych arnon ni i gyd am eiliad, a gwgu. Mae'n troi ac yn edrych 'nôl ar Mr Galbraith, sy'n sefyll yn nrws yr adeilad ac yn rhythu arnom.

'Popeth yn iawn,' medd Dad yn dawel. 'Gadewch i ni weld a allwn ni gael y plant o'r lle 'na.'

Pan fydd Dad yn gwneud jobyn, mae e'n symud yn gyflym.

Dim ond ychydig oriau sydd ers i ni adael yr ysgol ac yn barod rydyn ni wedi codi pethau o'r warws, ymweld â Gavin yn y carchar, prynu bwyd a diod i'r daith, gollwng Mam yn y tŷ, a nawr dw i a Menzies yn eistedd yng nghar Dad y tu allan i dŷ Wncwl Grub.

Roeddwn i'n gobeithio y byddai Mam yn dod gyda ni, ond dw i'n gwybod pam na all hi. Pan fyddwch chi'n gwneud jobyn, mae'n rhaid i chi wneud yn siŵr nad oes unrhyw stwff anghyfreithlon gartref rhag ofn i chi gael eich arestio a bydd yr heddlu'n chwilio o dan y gwelyau.

Mae Mam wrthi nawr yn clirio'r holl sosbannau brys o Iraq o'r ffordd a brwsys dannedd byddin America ac yn mynd â nhw i'r warws.

Mae Menzies yn pwyso drosodd o'r sedd gefn.

'Pam mae dy dad yn cymryd cymaint o amser?'

medd ef. 'Fe allai Jamal fod ar ei ffordd i Afghanistan tra byddwn ni'n eistedd fan hyn.'

Dw i'n ochneidio. Dyma tua'r degfed tro i Menzies ddweud hyn ers i Dad fynd â thad Jamal i dŷ Wncwl Grub tua chwarter awr 'nôl yn unig.

'Dw i wedi dweud wrthot ti,' meddaf. 'Maen nhw'n cynllunio'r jobyn. Os wyt ti'n ceisio gwneud jobyn heb gynllun, mae hi ar ben arnat ti. Fe ddwedodd Wncwl Ray unwaith fel roedd yn rhaid iddo fe helpu tri dyn oedd wedi ceisio torri allan o garchar heb gynllun iawn. Fe wnaethon nhw dwnnel i siop anifeiliaid anwes drwy gamgymeriad.'

Dyw Menzies ddim yn edrych wedi'i argyhoeddi.

'Ond all hi byth fod yn cymryd cymaint o amser i wneud cynllun,' medd ef.

'Mae eisiau cynllun da i jobyn fel hwn,' meddaf. 'Mae angen meddwl am y twnnel, rhawiau, ceibiau, rhaffau, ystyllod o bren, tortshis, ffrwydron efallai, a gwisgoedd arbennig, llwybr dianc, llwyth o bethau. Maen nhw siŵr o fod yn ffonio Wncwl Ray i gael cyngor am gymorth cyntaf rhag ofn i un ohonon ni gael niwed.'

Trueni i mi sôn am hynny. Mae Menzies yn edrych yn bryderus ac yn sydyn dw innau'n teimlo braidd yn nerfus hefyd.

'Paid â phoeni,' meddaf wrth Menzies, ac wrthyf i fy hunan. 'Mae Dad yn ddyn proffesiynol.'

Mae Menzies yn dal i edrych yn bryderus.

'Sut rydyn ni'n mynd i roi'r holl stwff ar gyfer y twnnel mewn un car?' medd ef.

'Dy'n ni ddim,' meddaf. 'Fe fydd Wncwl Grub yn nôl ei fan. Un o'r rheolau ar gyfer gwneud jobyn yw peidio byth â rhoi'r wyau i gyd yn yr un cerbyd.'

Mae Menzies yn edrych fel petai'r darn yma o ddoethineb troseddwyr wedi creu argraff arno. Dw i'n penderfynu peidio â dweud wrtho mai ar *The Bill* ar y teledu y ces i fe.

Er bod Menzies yn poeni, dw i'n falch ei fod e'n dod ar y jobyn yma. Roedd Mam a Dad yn amau a ddylen nhw ddod ag ef o'r ysgol, ond roedd tad Jamal yn mynnu ac fel digwyddodd hi, sylwodd neb. Roedd pawb yn rhy brysur yn cuddio yn seler y llyfrgell ar ôl i'r gloch gwrthderfysgaeth ganu.

'O'r diwedd,' medd Menzies.

Mae Dad a thad Jamal yn dod allan o dŷ Wncwl Grub ac yn dod am y car. Mae gan Dad lond dwrn o fapiau Wncwl Grub.

'O'r gorau,' medd Dad wrth iddyn nhw ddod i mewn. 'Ry'n ni'n barod. Mae'r ganolfan gadw'n eithaf pell i ffwrdd felly fe fyddwn ni'n gyrru drwy'r nos. Ydy hynny'n broblem i unrhyw un?'

Mae pawb yn ysgwyd eu pennau.

Mae llygaid tad Jamal yn disgleirio a gallaf weld mai gyrru drwy'r nos mewn hen Mercedes i achub ei blant yw'r peth mae e eisiau ei wneud fwyaf yn y byd i gyd.

Mae'n estyn ei law ac yn ei rhoi ar ysgwydd Dad.

'Cyn i ni ddechrau,' medd ef. 'Dw i eisiau dweud bod fy nghalon yn llawn o'ch caredigrwydd chi.'

Mae Dad yn rhoi ei law ar fraich tad Jamal.

'Croeso, Mohammed,' medd ef. 'Ond peidiwch â bod yn rhy ddiolchgar tan i ni weld sut aiff pethau.'

Rydyn ni wedi bod ar y ffordd ers oriau.

Mae Dad yn gorfod gwneud y gyrru i gyd. Cynigiodd tad Jamal ei helpu, ond gwrthododd Dad. Gyrrwr tacsi yw tad Jamal ac yn Afghanistan mae e siŵr o fod wedi gyrru tua dau gan mil o gilometrau'n fwy na Dad yn ei fywyd, ond does dim trwydded yrru Awstralia gyda fe. Mae Dad yn meddwl y byddai gormod o berygl. Petai'r heddlu'n ein stopio ni a thad Jamal yn gyrru, byddai popeth ar ben.

Cynigiodd Menzies hefyd. Mae e'n gyrru tractor ar fferm ei ewythr. Dwedodd Dad yr un peth wrtho fe hefyd.

Mae Menzies a thad Jamal yn cysgu yn y cefn, a phen Menzies ar ysgwydd tad Jamal.

Dw i wedi bod yn syllu allan i'r tywyllwch ers oesoedd, yn meddwl. Ac yn cadw llygad am gangarŵod fel gofynnodd Dad i mi.

Mae llwythi o bethau dw i eisiau gofyn iddo am y jobyn.

Sut rydyn ni'n mynd i fynd i ffens y ganolfan gadw heb gael ein gweld?

Ydyn ni'n mynd i ddefnyddio ffrwydron yn y twnnel ac os felly ydyn ni'n mynd i'w wneud e heb i'r gardiau ein clywed ni?

Pa mor bell y tu ôl i ni mae Wncwl Grub yn ei fan? Mae Wncwl Grub yn gyrru'n gyflym iawn a dw i'n synnu nad yw e wedi mynd heibio i ni eto.

Dw i ddim wedi gofyn un o'r pethau hyn i Dad. Petai eisiau i mi wybod, byddai wedi dweud wrtha i. Gwelais yr un peth ar *The Bill*. Dyw aelodau iau'r giang byth yn cael gwybod beth yw'r cynllun cyfan rhag ofn iddyn nhw gael eu restio a'u holi.

Ond mae un peth mae'n rhaid i mi holi.

Dw i'n edrych draw ar Dad.

Yn y golau sy'n dod o'r panel blaen dw i'n gallu gweld bod ei wyneb yn ddifrifol a'i feddwl ymhell. Yn yr un lle â'm meddwl i, siŵr o fod.

'Dad,' meddaf.

'Ie?' medd ef.

'Mae rhywbeth sy'n fy mhoeni i,' meddaf.

'Beth?' gofynna.

'Yn hytrach na cheisio cael Jamal a Bibi allan,' meddaf, 'oni ddylen ni fod yn ceisio cael Gavin allan?'

Mae Dad yn meddwl am hyn, ond ddim yn hir.

'Na ddylen,' medd yn dawel. 'Fe gafodd Gavin ei ddal yn dwyn ac mae e'n haeddu bod yn y carchar. Dyw'r plant 'ma ddim.'

Mae Dad yn edrych draw arna i a dw i'n gallu gweld ei fod e'n teimlo mor drist â mi am Gavin.

Ond dw i'n falch mai dyna oedd ei ateb.

Mae'r ffordd yma drwy'r anialwch mor syth.

Dyw Dad ddim wedi troi'r olwyn ers oesoedd.
Does dim tro o fath yn y byd. Dim ond dau olau
lampau blaen syth yn trywanu'r tywyllwch.

Trueni na fyddai fy meddyliau mor syth â'r
ffordd.

Cyrraedd y ganolfan gadw, gwneud y jobyn,
rhyddhau Jamal a Bibi a'u mam.

Digon syml.

Ond mae fy meddyliau'n chwalu i bob man.

A roddais i gusan hwyl fawr i Mam?

A ddylen ni fod yn dod â festiau atal bwledi?

A does dim gwahaniaeth i ble mae fy
meddyliau'n chwalu, dw i'n dal i ddod 'nôl at yr
hyn ddywedodd Gavin wrtha i pan welson ni fe
ddoe.

Fel arfer rhoddodd Mam a Dad ychydig o
amser imi ar fy mhen fy hunan gyda fe yn ystafell
ymweld y carchar. Doeddwn i ddim yn mynd i

ddweud wrtho am y jobyn, ond pan oedden ni ar ein pennau ein hunain, allwn i ddim peidio.

Oherwydd ei fod e'n frawd arbennig o dda, roedd e'n garedig iawn.

'Cer amdani, Bridget,' medd ef. 'Os gall unrhyw un lwyddo, ti a Dad yw'r rheini. Ond ceisia beidio â chael dy ddal.'

Ond wedyn dywedodd e wrthyf am ddynion yn ei adran oedd wedi dianc unwaith. Cawson nhw eu dal eto ar ôl tridiau'n unig, a dyna dridiau gwaethaf eu bywydau, medden nhw.

'Dim rhyfedd,' meddwn i wrth Gavin. 'Cuddio mewn tanc cig gwag mewn ffatri fwyd anifeiliaid anwes.'

'Nid dyna'r pwynt,' medd Gavin. 'Y pwynt yw nad yw'r rhan fwyaf o bobl yn gallu diodde'r straen a'r ofn. I'r rhan fwyaf o bobl, mae ffoi rhag yr heddlu'n waeth hyd yn oed na bod yn y carchar.'

Pan ddwedais i wrth Gavin am y cynllun roeddwn i'n meddwl ei bod hi'n dal yn werth cael Jamal a Bibi a'u mam allan, er mwyn cael Bibi at ddeintydd a'u rhwystro nhw i gyd rhag cael eu hanfon 'nôl at yr arglwyddi rhyfel.

Ond nawr dw i'n meddwl am y peth, dw i ddim eisiau iddyn nhw orfod treulio gweddill eu bywydau'n ffoi ac yn dioddef o straen ac ofn.

Felly dw i'n gobeithio bod cynllun Dad yn cynnwys beth sy'n mynd i ddigwydd ar ôl i ni wneud y jobyn.

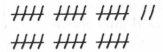

Dw i'n dihuno.

Mae fy llwnc yn boenus ac mae fy llygaid yn brifo yng ngolau disglair haul yr anialwch ac mae'r gwregys diogelwch wedi glynu wrth fy wyneb.

'Ydyn ni wedi cyrraedd eto?' meddaf.

Dyw Dad ddim yn ateb.

Mae hynny oherwydd nad yw e yn y car.

'Dad?' meddaf, wedi cael ofn.

Mae'r injan yn dal i redeg, ond rydyn ni wedi parcio mewn maes parcio mawr llychlyd. Am eiliad dw i'n gobeithio mai maes parcio rhywle sy'n gwerthu pastai ac ysgytlaeth yw e, achos mae eisiau bwyd ac mae syched mawr arna i. A byddai hynny'n egluro ble mae Dad.

Ond nid maes parcio lle fel yna yw e.

Y tu allan i ffenest y car gallaf weld ffens weiren uchel a'r tu ôl iddi, adeiladau llychlyd diflas, heb arwyddion yn hysbysebu pastai na dim byd arall.

Mae weiren rasel ar ben y ffens.

Yn sydyn, dw i'n gwbl effro.

Dw i'n sylweddoli ble rydyn ni.

Rydyn ni wedi parcio y tu allan i ganolfan gadw'r ffoaduriaid. Dw i'n syllu'n bryderus ar draws y maes parcio. Mae'r gardiau'n gallu ein gweld ni. Mae cwt milwrol yr olwg tua hanner can metr o'r car.

Beth sy'n bod ar Dad?

Mewn panig dw i'n troi i'r sedd gefn.

'Ble mae Dad?' meddaf.

Mae Menzies yn dal i ddihuno, yn rhwbio ei lygaid ac yn edrych wedi drysu.

Dyw tad Jamal ddim yno chwaith.

Dw i'n mynd allan o'r car. Mae chwa o awyr boeth yn fy nharo i fel sychwr gwallt o Latvia. Dw i'n troi ac yn syllu, gan chwilio am Dad. Mae gorwelion yr anialwch yn dawnsio yn y gwres. Mae ffens y ganolfan gadw'n hymian yn drist yn yr awel boeth. Ein car ni yw'r unig un yn y maes parcio. Does dim golwg o Dad.

Dw i'n meddwl am syniad gwyllt a gobeithiol.

Efallai bod Dad wedi parcio'r car fan hyn i dynnu sylw tra mae e a thad Jamal ac Wncwl Grub yn gwneud twnnel yn y cefn.

Yna, uwchben grwnan injan y car, dw i'n clywed Dad yn chwibanu. Nid y chwiban dawel a thaer y bydd pobl yn ei defnyddio wrth wneud jobyn, ond cân, *Jailbreak* gan AC/DC.

Mae cist y car yn agor a dw i'n gweld fflach o

ddefnydd glas y tu ôl iddo. Dw i'n mynd o gwmpas i gefn y car.

Mae Dad yn sefyll ar un droed yn tynnu ei jîns. Mae'n gwisgo crys melyn a siaced ei siwt las, ac mae coesau trowsus y siwt yn symud yn y gwynt wrth hongian o ddrws y gist.

Mae tad Jamal yn dal braich Dad fel nad yw Dad yn cwympo drosodd.

'Beth wyt ti'n wneud?' meddaf wrth Dad.

'Bore da, cariad,' medd ef. 'Dw i'n gwisgo fy nillad gorau. Alla i ddim siarad â rheolwr canolfan gadw a minnau'n edrych fel trempyn.'

Dw i'n syllu arno, wedi fy synnu.

'Siarad â'r rheolwyr?' meddaf.

'I ddweud wrthon nhw bod cadw'r plant 'na yn erbyn y gyfraith,' medd Dad. 'Fe ffoniodd Wncwl Grub gyfreithiwr mae e'n ei nabod. Mae cadw plant o dan glo fel hyn yn torri tua thair rhan o'r Ddeddf Gwarchod Plant.'

'Deddf dda iawn yw hi,' medd tad Jamal. 'Fe ddefnyddiwn ni hi i gael fy nheulu'n rhydd.'

Dw i'n syllu'n gegrwth ar Dad wrth iddo gau sip trowsus ei siwt.

'Rwyt ti'n mynd i gerdded i mewn drwy'r brif glwyd?' meddaf. 'Yng ngolau dydd?'

Dw i'n teimlo'n benysgafn.

'Felly,' dw i'n crawcian, 'dyw Wncwl Grub ddim yn dod?'

Mae Dad yn ysgwyd ei ben wrth iddo roi ei esgidiau gorau am ei draed. 'Ro'n i'n meddwl y byddai hi'n well iddo beidio. Mae George yn arbennig o dda i wneud, wel jobyn, ti'n gwybod. Ond nid fe yw'r un gorau i gwrdd â rheolwyr.'

Mae fy mhen yn troi ac nid o achos yr haul yn unig.

'Dw i'n meddwl ei bod hi'n well i mi a Mr Houssini'n unig fynd i mewn,' medd Dad. 'Fe adawa i'r car i redeg fel bod y tu mewn yn oer i ti a Menzies.'

Dw i'n mynd 'nôl i mewn i'r car.

Dw i ddim yn gwybod beth arall i'w wneud.

Un cip ar wyneb Menzies a dw i'n gallu dweud iddo glywed beth ddwedais i a Dad.

Dw i'n syllu draw ar y ganolfan gadw, gan geisio gweld a oes rhywun y tu ôl i'r ffens. Drwy'r llwch a'r golau llachar dw i'n gallu gweld ambell berson yn symud rhwng yr adeiladau. Alla i ddim dweud ai ffoaduriaid neu gardiau ydyn nhw.

Dw i'n edrych draw.

Mae Dad yn cau'r gist yn glep.

'Dymunwch lwc dda i ni,' gwaedda, gan chwifio arna i a Menzies drwy'r ffenest.

Dw i'n chwifio 'nôl ond prin dw i'n gallu symud fy mraich.

'Efallai y llwyddan nhw,' medd Menzies wrth i ni eu gwylio nhw'n cerdded draw at y gardiau. 'Efallai y bydd y ffordd yma'n gweithio.'

Dw i ddim yn ateb.

Does dim pwynt.

Mewn rhyw bum eiliad fe fydd Dad a thad

Jamal yn cael eu troi 'nôl, ar ôl cael eu curo, efallai.

Dw i ddim yn gallu dioddef edrych. Ond dw i'n gwneud hynny achos os bydd y gardiau'n ceisio gwneud dolur i Dad, af i draw yno i ddefnyddio dull Wncwl Ray o lorio pobl.

'Edrych,' medd Menzies. 'Mae e'n gweithio.'

I ddechrau dw i ddim yn gwybod beth mae'n ei feddwl.

Wedyn dw i'n gweld.

Mae hyn yn anhygoel.

Mae'r gardiau'n gadael iddyn nhw fynd trwodd. Maen nhw'n mynd gyda Dad a thad Jamal at y brif glwyd. Mae gard arall wrth y brif glwyd yn gwneud galwad ffôn. Mae'r brif glwyd yn agor. Mae Dad a thad Jamal yn mynd i mewn.

'Hwrê,' medd Menzies.

'Hwrê,' gwaeddaf i.

Mae'r cynllun yn gweithio.

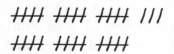

Weithiodd y cynllun ddim.

Dw i'n gallu gweld hynny wrth y ffordd y mae ysgwyddau Dad yn syrthio a'r ffordd y mae tad Jamal yn gweiddi'n grac. A'r ffordd y mae pedwar gard yn eu gwthio nhw 'nôl i'r cwt.

Dw i a Menzies yn syllu ar ein gilydd mewn anobaith.

Roedd pethau'n edrych mor dda.

Roedd Dad a thad Jamal y tu mewn i un o adeiladau'r ganolfan gadw am ddeg munud, bron. Wrth i bob munud fynd heibio, roedd Menzies a minnau'n mynd yn fwy cyffrous o hyd. Roedden ni newydd benderfynu y dylai Jamal a Bibi ddod i'm hen ysgol i gyda fi, ond wedyn dyma Dad a thad Jamal yn ymddangos eto, gan weiddi a chael eu gwthio.

'O na,' ochneidiodd Menzies.

Mae'r gardiau'n dal i'w gwthio nhw nawr.

Mae tad Jamal yn ceisio rhedeg 'nôl drwy'r glwyd. Mae'r gardiau'n ei rwystro fe.

Dw i'n mynd allan o'r car.

Dw i eisiau taflu fy hunan at y ffens a'i rhwygo i lawr a gadael i'r holl blant redeg yn rhydd i'r anialwch.

Does dim ots am y gardiau neu'r weiren rasel neu sut bydd y Prif Weinidog yn teimlo.

Yn sydyn dw i'n gweld car yn dod ar ras tuag atom ni ar draws y maes parcio. Mae'n parcio ar bwys ein car ni. O'r logo ar yr ochr dw i'n gallu gweld mai car newyddion teledu ydy e.

Mae dyn a menyw'n dod allan.

Mae camera gan y dyn a meicroffon gan y fenyw, a'r ddau'n pwyntio ataf i.

'Hei, ferch y senedd-dy,' medd y fenyw. 'Beth wyt ti'n wneud yma?'

Am eiliad dw i'n ystyried dweud wrthyn nhw am fynd i grafu a gadael llonydd i mi a'r teulu. Ond wedyn dw i'n sylweddoli efallai y galla i ddweud rhywbeth a fydd yn helpu Jamal a Bibi.

Mae cymaint i'w ddweud, prin dw i'n gwybod ble i ddechrau.

'Mae plant yn cael eu carcharu i mewn fan 'na,' meddaf wrth y camera. 'Plant sydd heb wneud dim o'i le. Dydyn nhw ddim wedi torri i mewn i dŷ neb neu ddwyn unrhyw beth o siop neu wedi meddwl am ddwyn o fanc.'

Mae'n debyg nad dyma'r ffordd orau i mi ddweud hyn.

Dw i'n cofio'r llythyr oddi wrth Jamal roeddwn i'n ei ddarllen yn y car ar y ffordd 'nôl o Canberra. Roeddwn i wedi dod â fe gyda fi ar y

178

daith hon rhag ofn i mi ddechrau cael ofn a bod angen ysbrydoliaeth arnaf.

'Dyma lythyr oddi wrth un o'r plant 'na,' meddaf.

Dw i'n ei dynnu allan o'm poced ac yn dechrau ei ddarllen i'r camera.

'*Mae gen i newyddion gwael. Mae fy nhad yn rhydd . . .*'

Dw i'n darllen y llythyr cyfan.

Pan dw i'n cyrraedd y diwedd, y darn am sut mae Jamal yn drist achos roedd e'n meddwl mai lle caredig oedd Awstralia, dw i'n gweld y dyn camera'n edrych ar y gohebydd. Mae hi'n rhoi arwydd iddo ddal ati i ffilmio.

Dw i'n edrych yn syth i mewn i'r camera.

'Fe gwrddais â'r Prif Weinidog yr wythnos diwethaf,' meddaf. 'Mae e'n dweud bod y plant yma'n cael eu cadw dan glo er ein mwyn ni, bobl Awstralia. Dim ond pedwar o bobl ydyn ni, ond rydyn ni yma achos nad ydyn ni eisiau i blant ddioddef er ein mwyn ni. Mae fy nhad yn meddwl mai dyna sut roedd pob un yn Awstralia'n arfer teimlo. Trueni nad oedden nhw.'

Dw i'n aros.

Mae'r gardiau wedi gweld y camera ac maen nhw'n rhedeg tuag aton ni, gan weiddi.

Beth bynnag, does dim pwynt dweud rhagor.

Dw i'n edrych o gwmpas ar y ffens a'r gardiau a'r cwt a'r weiren rasel.

Fydd geiriau ddim yn helpu Jamal a Bibi mwyach.

Dim ond fi a Menzies all wneud hynny.

179

Dw i'n gwrando'n astud i glywed pa fath o synau anadlu sy'n dod o'r ystafell wely arall.

Drwy lwc waliau tenau sydd yn y motel. Dw i'n gallu clywed chwyrnu isel Dad a gwichian tawel tad Jamal.

'Maen nhw'n cysgu,' sibrydaf wrth Menzies.

Mae'r ddau ohonom yn dod o'n gwelyau mor dawel ag y gallwn ni ac yn gwisgo ein hesgidiau Roedd hi'n boeth yn y gwely a minnau'n gwisgo fy nillad i gyd, ond roeddwn i eisiau arbed amser.

'Tywelion,' sibrydaf wrth Menzies.

'Dw i'n eu nôl nhw,' sibryda.

Wrth iddo gropian i'r ystafell ymolchi, dw i'n teimlo ar y llawr am ein poteli dŵr. Dyw hi ddim yn hawdd, cael yr offer ar gyfer jobyn at ei gilydd yn y tywyllwch, ond allwn ni ddim mentro cynnau'r golau.

'Mae'r tywelion gyda fi,' sibryda Menzies yn fy nghlust.

Mae'r poteli dŵr gyda fi. A'r siocled a'r lolipops

a'r lluniau o geffylau a roddodd Antoinette, Chantelle a Veuve i ni eu rhoi i Jamal a Bibi.

Rydyn ni'n mynd ar flaenau ein traed am y drws, yn ei agor yn ofalus fel nad yw'r gadwyn yn siglo, yn llithro allan ac yn ei gau'r tu ôl i ni heb siw na miw.

Mae ychydig bach o olau leuad felly gallwn weld ein ffordd heibio i geir y gwesteion eraill yn y maes parcio.

Yn sydyn mae Menzies yn cydio yn fy mraich.

'Does dim byd gyda ni i balu,' medd ef.

'Ymlacia,' meddaf. 'Motel yw hwn. Mae'n rhaid bod offer garddio i'w gael yma yn rhywle.'

Rydyn ni'n dechrau chwilio.

Dim byd. Dim hyd yn oed trosol i brocio eu tanc septig nhw.

'Anobeithiol,' medd Menzies. 'Sut gallwn ni wneud twnnel i ganolfan gadw heb offer garddio?'

Wrth iddo ddweud hyn, dw i'n gweld dwy raw wedi'u strapio wrth gefn cerbyd gyriant pedair olwyn sydd y tu allan i unedau'r motel. Dw i'n mynd draw a'u tynnu nhw'n rhydd yn ofalus.

Rhawiau campio metel ydyn nhw, rhai cadarn a chryf. Dw i'n tynnu un i lawr ac yn gweld y geiriau sydd wedi'u stampio ar ei chefn.

Made in Bulgaria.

Mae Menzies wedi cydio mewn dwy raw fach arall sydd wrth yr un cerbyd. Rhai bach plastig ydyn nhw.

'Gorau po fwyaf,' medd ef.

Mae'n cymryd dau fwced plastig bach hefyd.

Dw i ddim yn teimlo'n dda wrth ddwyn teganau traeth plant eraill, felly dw i'n rhoi fy llaw yn fy hosan ac yn tynnu'r ddeg doler ar gyfer argyfwng a roddodd Dad i mi cyn i ni adael gartref.

'Oes arian gyda ti?' gofynnaf i Menzies.

'Dim ond hanner can doler,' medd ef.

Dw i'n gadael y chwe deg doler y tu ôl i'r olwyn sbâr. Efallai bod yr hyn rydyn ni'n mynd i'w wneud yn torri tua un deg wyth o gyfreithiau, ond does dim eisiau bod yn anonest.

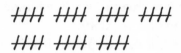

Mae'r ffordd i'r ganolfan gadw'n wastad iawn ac yn syth iawn, a thrwy lwc, does dim ceir.

Y tro hwn dw i'n meddwl yn syth hefyd.

Cyrraedd yno, gwneud y jobyn, rhyddhau Jamal a Bibi a'u mam.

Mae'r ffordd i'r ganolfan gadw'n hir iawn hefyd.

'Fe fydd hi'n olau erbyn i ni gyrraedd yno,' medd Menzies. 'Mae fy nhraed i'n boenus yn barod.'

'Mae'n rhaid i ni gerdded am bedair awr,' meddaf. 'Fe fesurais i fe yn y car pan oedden ni'n gyrru i'r motel y prynhawn 'ma. Felly ar ôl i ni gyrraedd y ffens fe fydd pedair awr arall gyda ni i balu cyn iddi wawrio.'

Mae Menzies yn ochneidio.

'Dw i'n dal i feddwl y dylen ni fod wedi dod â thad Jamal gyda ni,' medd ef.

'Dw i ddim yn hoffi ei adael e chwaith,' meddaf. 'Ond roedd e dan deimlad yn ofnadwy.

183

Dw i ddim yn synnu. Mewn canolfan gadw am ddeg munud a ddim yn cael gweld dy blant. Dyna greulon. Ond os yw rhywun dan deimlad, chân nhw ddim dod i wneud jobyn. Dyna'r rheol.'

Dw i ddim yn dweud wrth Menzies mai rheol dw i newydd ei chreu yw hi.

Mae hi wedi'i seilio ar ffaith. Bob tro mae rhywun ar *The Bill* yn mynd i wneud jobyn pan fyddan nhw o dan deimlad, maen nhw'n cael eu restio.

'Aaaaa,' gwaedda Menzies. 'Beth yw hwnna?'

'Madfall yw hi,' meddaf. 'Wnaiff hi ddim byd i ti. Wyt ti'n cofio Mr Lamb yn dweud wrthon ni amdanyn nhw yn y gwersi daearyddiaeth? Maen nhw'n turio i dywod yr anialwch.'

'Cer o 'ma, fadfall,' medd Menzies, gan chwifio'i fwcedi a'i rawiau. 'Fe ei di'n eiddigeddus pan weli di pa mor dda rydyn ni'n palu.'

Ymlaen â ni.

Dw i'n syllu i'r awyr.

Mae'r sêr yn yr anialwch yn llawer mwy disglair na'r rhai welais i erioed. Pan oeddwn i'n ferch fach, dywedodd Dad wrtha i mai dymuniad gan berson yw pob seren. Os yw hynny'n wir, gyda chymaint ohonyn nhw'n union uwch ein pennau ni, mae'n rhaid ein bod ni'n dod yn nes at y ganolfan gadw.

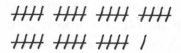

Mae'r ganolfan gadw'n edrych yn enfawr yn y nos.

Oherwydd ei bod hi wedi'i goleuo i gyd ac mae'r anialwch o'i chwmpas yn dywyll, siŵr o fod.

Mae Menzies a minnau yn ein cwrcwd y tu ôl i lwyn pigog ar ymyl y tywyllwch ac yn syllu draw ar y ganolfan. Alla i ddim gweld unrhyw gardiau, ond mae'n anodd gwybod faint o gamerâu diogelwch sydd yn edrych fel creigiau.

Rhaid ein bod ni tua hanner can metr o'r ffens. Dyna'r rhan nesaf o'r jobyn. Croesi'r darn yna sydd wedi'i oleuo heb i neb ein gweld ni.

'Mae hi'n ffordd hir,' medd Menzies.

'Fe allai pethau fod yn waeth,' meddaf. 'Dychmyga petai tywelion y motel yn las.'

Mae Menzies yn gwenu, sy'n eithaf da am fachgen y mae ei draed wedi bod yn gwaedu am yr awr ddiwethaf. Pan fydd y jobyn yma ar ben dw i'n mynd i gael pâr da o fŵts ag ochrau lastig

185

o Hwngari iddo yn lle'r pethau gwael o America gwerth tri chan doler sydd am ei draed.

Mae Menzies yn gorwedd wyneb i waered ar y llawr, a'r rhawiau yn un llaw, a'r bwcedi yn y llall, a'r botel ddŵr yn sownd yng nghefn ei wregys.

Dw i'n rhoi un o'r tywelion drosto fel nad oes unrhyw ran o'i gorff i'w weld.

Mae'r tywel yn gweddu'n eithaf da. Mae lliw oren y tywel bron yr un lliw ag oren llwch yr anialwch. Mae'r cuddliw bron cystal â chuddliw madfall.

Dw i'n gorwedd ac yn llusgo'r tywel arall drosof.

I ffwrdd â ni, gan gropian ar ein boliau ac aros o dan ein tywelion.

'Aw,' medd Menzies ar ôl rhyw ddwy eiliad. 'Mae'r cerrig 'ma'n finiog.'

'Ust,' sibrydaf. 'Mae sŵn yn teithio'n bellach yn y nos yn yr anialwch.'

Pan oedd Wncwl Grub yn dwyn o dai, roedd e o hyd yn cadw'n dawel ar bwys tywod am yr union reswm hwnnw.

Wrth i ni wingo'n boenus tuag at ffens y ganolfan gadw, dyw Menzies ddim yn siarad eto, dim ond rhegi'n ddistaw wrtho'i hun.

Dw i ddim yn ei feio fe. Yn ogystal â cherrig miniog mae ambell gudyn o borfa a drain ynddyn nhw. A morgrug sy'n cnoi. A dw i'n gorfod pinsio fy nhrwyn bob rhyw ddwy fedr rhag i mi disian o'r llwch.

Dw i ddim hyd yn oed eisiau meddwl am nadroedd.

Ar ôl amser hir dw i'n syllu allan o dan fy nhywel.

Dim ond tua dwy medr i ffwrdd mae'r ffens.

'Digon pell,' meddaf wrth Menzies.

Mae'n edrych allan o dan ei dywel.

'Po agosaf awn ni, lleiaf bydd rhaid i ni balu,' meddai, a llithro yn ei flaen.

'A'r mwyaf y byddwn ni yn y golwg.'

Mae Menzies yn aros.

Rydyn ni'n llithro'n agos at ein gilydd fel bod ein tywelion yn cwrdd a gallwn wneud pabell fach ohonyn nhw. Dw i'n dechrau crafu'r ddaear â'r rhaw fetel. Mae'r llwch yn galed ac yn grensiog yma. Mae'n rhaid ei fod wedi'i wasgu rywfaint wrth iddyn nhw adeiladu'r ffens.

Mae Menzies yn dechrau crafu hefyd.

'Gan bwyll,' sibrydaf. 'Dim symudiadau mawr hyd nes bod twll gyda ni sy'n ddigon mawr i ni guddio ynddo.'

Yn araf rydyn ni'n llithro llond rhaw o lwch yr un allan o dan ein tywelion.

Dw i'n ceisio dychmygu sut bydden ni'n edrych i unrhyw gard sy'n dod allan i'r cefn i fynd i'r tŷ bach ac yn digwydd ein gweld ni.

Fel dwy fadfall, gobeithio.

Dwy fadfall sy'n ceisio gwneud y peth iawn.

Mae fy mreichiau mor boenus, dw i eisiau crio.

Ond does dim gwahaniaeth gen i.

Rydyn ni wedi'i wneud e.

Rydyn ni wedi palu twll sy'n ddigon mawr i'r ddau ohonom ddringo i lawr iddo. Twll mwy na hynny, mewn gwirionedd, achos ar ôl i ni grafu drwy grystyn yr anialwch, roedd y llwch lawr fan hyn yn feddalach.

Nawr gallwn ddechrau'r gwaith twnelu go iawn.

Dw i'n cymryd anadl ddofn ac yn anfon gweddi dawel at fy hynafiad Benedict Podger.

Rho nerth i'm breichiau. Gad i mi fod cystal â ti wrth balu.

'Mae fy mreichiau'n dechrau pallu,' cwyna Menzies.

'Dal ati,' ceisiaf ei annog. 'Meddylia am Jamal a Bibi.'

Dw i wedi bod yn meddwl amdanyn nhw ers oriau. Yn gobeithio nad ydyn nhw ar awyren i Afghanistan a thiwbiau plastig i lawr eu gyddfau.

Dw i wedi bod yn meddwl am rywbeth arall hefyd. Gan fod ein twll ni bellach yn rhy fawr i gael ei guddio gan y tywelion, dw i'n poeni y gallai rhywun ein gweld ni. Allan fan hyn yn y wlad wastad yma, mae'n rhaid bod ein pentyrrau o lwch yn edrych fel mynyddoedd bach.

Dw i'n gweddïo nad oes rhaid i unrhyw un o'r gardiau fynd i'r tŷ bach.

Trueni nad oedd gameboy o Fwlgaria gyda nhw bob un i'w cadw nhw'n brysur.

Y drafferth yw, dydyn nhw ddim.

Dw i'n gwybod achos yn sydyn gallaf glywed sŵn traed yn crensian dros y ddaear sych. Mwy nag un person wrth eu sŵn nhw.

Yn dod yn nes.

Yn y gwyll dw i'n gweld gwyn llygaid Menzies yn mynd yn fwy. Dw i'n rhoi fy llaw dros ei geg i'w atal e rhag gwneud unrhyw synau uchel.

Rydyn ni'n cwtsio yng ngheg y twnnel ry'n ni wedi'i ddechrau.

Y twnnel na fyddwn ni byth yn ei orffen, efallai.

Mae Menzies yn cydio'n dynn ynof.

Wedyn dw i'n anadlu'n drwm.

Yn gysgod ysgafn yn erbyn yr awyr serog mae pen ac ysgwydd yn syllu i lawr i'n twll ni.

Mae'r cyfan ar ben.

Rydyn ni wedi methu.

Fe wnaethon ni ein gorau glas, Jamal a Bibi, do wir.

'Bridget,' medd llais yn dawel. 'Oes colled arnot ti? Beth wyt ti'n wneud?'

Dad?

Weithiau gall syndod wneud i'th berfedd di grynu'n waeth nag ofn. Yr eiliad hon mae fy mherfedd ar rif naw ar raddfa Richter.

Dyw Dad ddim yn aros i mi ateb. Dw i'n ei glywed yn siarad yn dawel â rhywun arall.

'Glou, Mohammed, mae golau wedi'i gynnau yn yr adeilad 'na. Dewch i guddio.'

Yn sydyn mae'r twll yn llawn llwch sy'n cwympo a chyrff. Mae cesail Dad dros fy wyneb i gyd, gallaf ddweud mai fe yw e achos y diaroglydd o Bosnia. Mae Menzies yn swnio fel petai wedi cael ei wasgu hefyd, a gallaf glywed tad Jamal yn sibrwd ymddiheuriadau.

Ar ôl llawer o wingo a chwyno, rydyn ni'n dod yn rhydd wrth ein gilydd.

'Am gynllun dwl!' medd Dad, gan rythu arna i. *'This takes the Bulgarian biscuit.* Wyt ti'n sylweddoli beth gallet ti ei gael am hyn? Mwy o flynyddoedd yn y carchar nag sydd gyda fi ar ôl. I ni i gyd.'

Fel arfer byddwn i'n ddigalon. Pan fydd Dad yn mynd yn drist mae'r teulu cyfan yn tristáu hefyd. Ond y tro hwn dw i'n meddwl am Jamal a Bibi.

'Dim ond os cawn ni ein dal,' meddaf. 'Dere, mae mwy ohonon ni i balu nawr.'

'Na,' medd Dad. 'Dim o gwbl. Mae'n rhaid i chi blant fynd o 'ma.'

Mae'n cydio ynof i a Menzies ac yn dechrau codi ar ei draed.

Wedyn mae e'n aros ac yn syllu.

Pob un ohonom ni.

Mae tad Jamal wedi cydio yn un o'r rhawiau ac yn palu fel ffŵl. Dw i erioed wedi gweld rhaw yn symud mor gyflym. Mae llwch yn hedfan i bob man.

Mae Dad yn fy nhynnu i a Menzies i ffwrdd, ond mae'n troi 'nôl.

Hyd yn oed yn y gwyll gallaf weld wrth ei wyneb beth mae e'n feddwl.

Nid dim ond cynllun dwl gan blant yw hwn bellach.

Ond tad yn ceisio achub ei blant.

Mae'r amser ar ben.

Hyd yn oed i lawr fan hyn yn y twll, gyda phentyrrau o lwch yn hanner cuddio'r olygfa, dw i'n gallu gweld pinc yn cropian i'r awyr.

Y wawr.

Fe fydd hi'n olau cyn hir ac wedyn bydd y gardiau'n ein gweld ni a ninnau'n cael ein restio.

Am ychydig oriau roeddwn i'n meddwl y bydden ni'n llwyddo. Roedd system wych gyda ni. Tad Jamal yn palu, fi a Menzies yn symud y bwcedi o lwch ar hyd y twnnel, Dad yn eu taflu nhw allan o'r twll.

Bob hanner awr bydden ni'n cael egwyl ac yn bwyta darn yr un o siocled Antoinette. Roeddwn i'n gwybod na fyddai gwahaniaeth ganddi a dywedodd tad Jamal na fyddai gwahaniaeth gan Jamal a Bibi chwaith.

Wedyn dyma tad Jamal yn taro concrit.

Dw i'n dal ddim yn credu'r peth.

Beth mae concrit yn ei wneud o dan yr anialwch?

'Mae'n rhaid mai rhyw fath o biben ddraenio yw hi,' medd Dad. 'Neu garthffos neu rywbeth.'

Rydyn ni i gyd yn syllu arni.

Trueni na allwn i ei chwythu i fyny.

Mae Dad yn penlinio ac yn sychu'r llwch oddi ar arwyneb concrit y biben. Wedyn mae'n tynnu ei allweddi ac yn ei chrafu.

Dw i'n edmygu ei benderfyniad, ond does dim tair wythnos gyda ni, sef yr amser y bydd hi'n ei gymryd i Dad grafu ei ffordd drwodd.

Mae Dad yn dechrau taro'r biben â'i allweddi.

Mae wedi mynd yn ddwl bared.

Aros eiliad, na, dyw e ddim.

Mae'r concrit yn dechrau malu.

'Nid concrit yw hwn,' medd Dad. 'Sment byddin Albania yw e, stwff rhad iawn a gwael iawn. Fe ges i gynnig dau gan tunnell ohono fe, ond gwrthod wnes i. Mae'n edrych fel tasai un o'r isgontractwyr a fuodd yn adeiladu'r lle 'ma wedi'i gymryd e.'

Rydyn ni i gyd yn gorwedd ar ein cefnau ac yn dechrau cicio'r biben sment. Mae darnau mawr yn chwalu nawr. Cyn hir mae bwlch sy'n ddigon mawr i ni ddringo i mewn iddo.

Rydyn ni'n syllu i mewn.

Mae fy mrest yn pwnio gan gyffro.

Ychydig yn is i lawr y biben, mae golau ddydd yn arllwys i mewn drwy rywbeth sy'n edrych fel grât metel.

Dw i'n gwneud cyfrifiad sydyn. Ydy. Mae'r

bibell yn mynd i gyfeiriad y gogledd. Mae'n rhedeg o dan y ffens. Mae'r grât y tu mewn i'r ganolfan gadw.

'Glou,' meddaf. 'Efallai bod amser gyda ni. Os awn ni ar ein pedwar ar hyd y biben a symud y grât a dod o hyd i Jamal a Bibi cyn i'r gardiau ein gweld ni, fe allwn ni eu cael nhw o fan hyn.'

Mae Dad yn cydio yn fy mraich.

'Bridget,' medd ef. 'Fe wnest ti dy orau glas, ond allwn ni ddim gwneud hyn yng ngolau dydd. Mae'n rhaid i ni fynd.'

'Na,' meddaf. 'Allwn ni ddim gadael Jamal a Bibi.'

'Dw i'n gwybod sut rwyt ti'n teimlo, cariad,' medda Dad a gwelaf ei fod hefyd. 'Ond fe fydd rhaid i ni obeithio y gallan nhw ddal eu gafael tan i ddigon o bobl Awstralia godi eu llais yn erbyn y llywodraeth.'

Mae dad yn dal i afael yn fy mraich. Dw i'n tynnu fy hunan yn rhydd.

'Beth os na allan nhw ddal eu gafael?' meddaf.

Mae Dad yn oedi a dw i'n gwybod ei fod yn meddwl am yr holl bethau ymarferol a allai fynd o'u lle yn ystod yr ychydig funudau nesaf. Dyna beth mae tadau'n ei wneud, dyna'u gwaith nhw.

Hynny yw, tadau sydd ddim yn anobeithio.

Dyw tad Jamal ddim yn sefyll o gwmpas yn poeni. Mae e yn y biben yn barod, yn mynd am y grât.

'Dewch,' meddaf wrth Dad a Menzies. 'Mae'n rhaid i ni ei helpu.'

Wedyn dw i'n sylweddoli nad yw Dad yn meddwl, mae e'n gwrando.

A nawr dw innau'n clywed hefyd.

Cerbyd, yn dod tuag aton ni.

'Mohammed,' gwaedda Dad. 'Dewch mas o fan 'na.'

'Achubwch eich hunain,' gwaedda tad Jamal. 'Mae'n rhaid i mi fod gyda fy nheulu.'

Dw i ddim yn aros i feddwl chwaith. Dw i'n crafu fy ffordd allan o'r twnnel ac yn taflu fy hunan ar ymyl y twll, a cheisio llusgo fy hunan allan. Os galla i ddal y gardiau 'ma 'nôl, hyd yn oed am ychydig o funudau, efallai bydd cyfle gan dad Jamal i fynd drwy'r grât a bod gyda'i blant.

Mae ymyl y twll yn malu o hyd a dw i'n methu gafael yn iawn i ddringo allan.

Mae drws car yn cau'n glep.

Yn sydyn dw i'n rhoi'r gorau i geisio dod allan o'r twll.

Mae syndod yn troi fy mherfedd yn sment soeglyd o Albania.

Mae wyneb yn syllu i lawr arna i dros ymyl y twll.

Dave y gwarchodwr yw e.

```
////  ////  ////  ////
////  ////  ////  ////
```

'Dave,' ebychaf, 'Beth dych chi'n wneud yma?'

Dyw Dave ddim fel petai eisiau edrych arna i. Petai fy llygaid heb ddechrau crynu gan flinder a straen, fe ddwedwn ei fod e'n teimlo embaras. Ond dyw plismyn sydd wedi cael cymaint o hyfforddiant â Dave ddim yn teimlo embaras.

Mae rhywun arall yn ymddangos wrth ymyl Dave, yn syllu i lawr i'r twll.

Tad Menzies yw e, yn gwisgo crys T.

Nawr dw i'n gwybod nad ydw i'n gweld yn glir. Ond fe yw e. Byddwn i'n nabod ei lais yn unrhyw le.

'Menzies,' galwa'n bryderus. 'Wyt ti'n iawn?'

Mae Dad a Menzies yn ymddangos wrth fy ochr.

'Dad,' gwichia Menzies.

'O, caca,' medd Dad.

Mae tad Menzies a Dave yn rhoi help llaw i ni allan o'r twll. Ar ôl i ni ddringo allan, rydyn ni'n cyrcydu gyda nhw y tu ôl i bentwr o lwch.

'Edrychwch,' medd Dad. 'Sori na ddwedon ni

wrthoch chi ein bod ni'n dod â Menzies gyda ni, ond fe alla i egluro.'

'Na allwch ddim,' medd tad Menzies. 'Does dim syniad gyda chi beth sydd wir yn digwydd fan hyn.'

Mae Dad yn edrych arno, yn ansicr.

'Beth dych chi'n feddwl?' gofynnaf.

'Dwedwch chi wrthyn nhw,' medd tad Menzies wrth Dave. 'Gan eich bod chi'n rhan o'r peth.'

Anghofia'r hyfforddiant, mae Dave yn edrych yn fwy diflas a llawn embaras ag unrhyw un dw i wedi'i weld yn fy mywyd, gan gynnwys Gavin y tro cyntaf iddo fynd o flaen y llys.

'Ry'ch chi'n cofio'r prosiect wnaethoch chi blant am barasitiaid yn yr ysgol,' medd Dave o dan ei wynt. 'Wel, fel 'na mae gwleidyddion, maen nhw'n dibynnu ar organebau eraill. Pleidleiswyr yw eu henwau nhw.'

Mae'n edrych yn ymddiheuriol ar dad Menzies.

'Dwedwch eich dweud, Dave,' ochneidia tad Menzies.

'Mae rhai pobl yn y llywodraeth,' medd Dave, 'yn meddwl eu bod nhw wedi dod o hyd i ffordd o gael ein pleidleisiau ni i gyd. Drwy wneud i ni'r pleidleiswyr feddwl eu bod nhw'n gwybod sut i'n cadw ni'n ddiogel rhag terfysgwyr.'

Mae Dave yn oedi. Dw i'n gallu gweld nad yw e wir eisiau dweud y rhan nesaf. Ond mae'n gwneud.

'Chi yw'r terfysgwyr.'

Alla i ddim credu'r hyn dw i'n ei glywed.

'Terfysgwyr?' ffrwydra Dad. 'Nid terfysgwyr ydyn ni.'

'Wrth gwrs,' medd tad Menzies. 'Ond rydych chi'n droseddwr yn torri i mewn i ganolfan gadw ddiogel gyda mewnfudwr o wlad Fwslimaidd. Felly ry'ch chi'n derfysgwyr, fwy na heb.'

Mae'r sment o Albania'n troi yn galed ac yn oer ac alla i ddim peidio â chrynu.

Beth dw i wedi'i wneud?

Os bydd Dad yn cael ei restio fel terfysgwr, bydd yn treulio gweddill ei fywyd yn y carchar.

'Dave,' medd Menzies. 'Beth mae 'nhad yn ei feddwl, eich bod chi'n rhan o hyn?'

Mae Dave yn edrych draw a dyw e ddim yn ateb.

'Dim ond cadw llygad arnat ti roedd e,' medd tad Menzies. 'Yn rhoi gwybod i'r llywodraeth beth oeddet ti'n wneud.'

Mae Menzies yn edrych fel petai rhywun wedi rhoi ergyd iddo â rhaw.

'Ac fe ddylen ni fod wedi rhoi'r cymysgydd o Rwsia i fynd yn uchel iawn pan oedden ni'n cynllunio'r jobyn yma,' medd Menzies yn chwerw. 'Ac fe ddylwn i fod wedi dyfalu nad oeddech chi wir wedi mynd 'nôl i Canberra.'

'Menzies,' medd ei dad. 'Dim ond gwneud ei waith roedd Dave.'

'Ddim rhagor,' medd Dave o dan ei anadl. 'Dw i wedi rhoi'r gorau iddo fe.'

Mae Menzies yn syllu ar Dave, yn ceisio deall hyn.

'Arhoswch eiliad,' medd Dad wrth dad Menzies. 'Ry'ch chi'n rhan o'r llywodraeth. Ry'ch chi'n rhan o hyn.'

'Nac ydw,' ochneidia tad Menzies. 'Pam dylwn i fod yn rhan o gynllwyn i restio fy mab fy hunan?'

Mae Dad yn meddwl am hyn.

'Digon teg,' medd ef.

'Ry'n ni'n dweud y gwir wrthoch chi,' medd Dave. 'Pam dych chi'n meddwl nad y'ch chi wedi cael eich restio cyn nawr? Mae pwll glo brig gyda chi fan hyn sydd i'w weld o'r lleuad. Achos maen nhw eisiau i chi fynd y tu mewn i'r ffens cyn iddyn nhw eich cael chi, dyna pam. Mae'n fwy dramatig. Mae tîm o heddlu arfog i mewn fan 'na. Maen nhw wedi bod yn monitro pob llond rhaw.'

Mae Dad yn edrych mor sâl â dw i'n teimlo.

Mae tad Menzies yn rhoi ei wyneb yn agos at wyneb Dad. 'Chi lusgodd fy mab i mewn i hyn,' medd ef. 'Y cyfan sy'n bwysig i mi yw ei fod e'n dod allan yn ddiogel.'

Mae Dad yn edrych fel petai ar fin crio. Ond dyw e ddim yn troi oddi wrth dad Menzies.

'Mae'n ddrwg gen i,' medd Dad.

'Dw i eisiau i chi deimlo'n waeth na hynny,' medd tad Menzies. 'Pan fyddwch chi'n cael eich restio ymhen ychydig funudau, dw i eisiau i chi egluro i'r awdurdodau nad oedd fy mab yn rhan o'r cynllun yma.'

'Ond roeddwn i,' medd Menzies.

Mae ei dad yn rhythu arno mor galed, gallai

dorri concrit o ansawdd uchel o Fwlgaria, hyd yn oed.

Dyw Menzies ddim yn gwingo.

Dim ond edrych ar ei dad mae e, wedyn mae'n ei gofleidio.

'A oes unrhyw bwynt,' medd Dad, 'i ni gyd fynd i mewn i gar Dave a gyrru i ffwrdd yn gyflym?'

Mae Dave a thad Menzies yn ysgwyd eu pennau.

Mae Dad yn nodio'n araf ac yn rhoi ei freichiau amdanaf.

Gallaf weld ei fod yn gwybod y bydd yn mynd i'r carchar am amser hir iawn.

Yn y pellter dw i'n gallu clywed sŵn cerbydau'n rhuo tuag aton ni ar draws yr anialwch. Ceir heddlu, siŵr o fod, a cherbydau milwyr a thanciau.

'Dw i'n dy garu di, Dad,' sibrydaf. 'Fydda i byth yn anghofio beth geisiaist ti ei wneud dros Jamal a Bibi.'

Mae Dad yn fy nghofleidio'n dynn.

Dw i'n gwneud ymdrech i beidio â chrio rhag ofn mai dyma'r tro olaf i Dad fy ngweld am amser hir. Dw i eisiau iddo fy nghofio fel merch gref.

Wedyn dw i'n cofio am dad Jamal.

Dw i'n mynd ar fy mhedwar ac yn syllu i lawr i'r twnnel. Gallaf ei weld yn y biben, yn dal i geisio symud y grât.

Dyw e ddim yn mynd i gyrraedd ei deulu mewn pryd.

Dw i'n troi i weld y cerbydau sy'n dod yn nes, gan ymbil arnynt yn dawel i gymryd ychydig o funudau'n fwy i gyrraedd.

Dydyn nhw ddim yn oedi.

Maen nhw'n dod i'r golwg bron yn syth, ac am eiliad fer a dwl, dw i'n meddwl fy mod i wir yn gweld pethau.

Mae hyn yn anhygoel.

Anghredadwy.

Dw i mor gyffrous, dw i bron wedi troi yn jeli o Fwlgaria.

Nid cerbydau milwyr a thanciau, ac nid ceir heddlu yw'r rhan fwyaf o'r cerbydau sy'n rhuthro tuag aton ni dros yr anialwch. Ceir cyffredin a champyrs ydyn nhw, a cherbydau 4x4 a bysiau a bysiau mini a beiciau modur.

Cannoedd ohonyn nhw.

A dydyn nhw ddim yn llawn o dimau o heddlu arfog ac unedau gwrthderfysgaeth, neu'r heddlu, heblaw am yr ychydig blismyn sy'n edrych wedi'u synnu, yn yr ychydig o geir heddlu.

Mae'r rhan fwyaf o'r cerbydau yn llawn o bobl gyffredin o Awstralia, sy'n codi llaw ac yn gweiddi arna i.

'Hei, ferch y senedd-dy,' gwaedda hen wraig o ffenest bws yn llawn o hen fenywod. 'Fe welson ni ti ar y teledu, cariad. Rwyt ti wedi gwneud i ni godi oddi ar ein tinau.'

Mae llygaid Menzies bron yn fwy na'i sbectol.

Mae llygaid Dad yn eithaf mawr hefyd.

Yn amlwg doedd tad Menzies a Dave ddim yn disgwyl hyn chwaith.

'Anhygoel,' crawcia tad Menzies. 'Grym llais plentyn a chydwybod cenedl.'

'A'r teledu,' medd Dave.

Mae pobl yn neidio allan o'u cerbydau ac yn dod am ein twll ni.

'Gadewch hyn i ni,' medd hen foi gyda medalau ar ei grys clwb bowlio. 'Fuodd fy ffrindiau i ddim farw yn ymladd dros Awstralia sy'n cadw plant o dan glo.'

'Yn hollol,' medd menyw'n gwthio babi mewn bygi. 'Dw i wedi bod yn poeni am yr holl fusnes yma ers iddo ddechrau, ond nawr dw i wedi cael llond bol.' Mae ei ffrindiau, pob yn un gwthio bygi, yn cytuno mewn lleisiau uchel.

Mae criw o ddynion sy'n edrych fel labrwyr yn palu â rhawiau mawr, gan ledu'r twll wnaethon ni er mwyn i bobl allu cerdded i lawr iddo'n haws.

'Mae'n rhaid taw ti yw Bridget,' medd llais y tu ôl i mi.

Dw i'n troi i edrych. Mae hen wraig wedi'i gwisgo'n hardd yn gwenu arna i. Mae *chauffeur* mewn iwnifform yn cydio yn ei phenelin ac yn dal basged bicnic fawr.

'Mam-gu Chantelle ydw i,' medd y fenyw. Mae hi'n gwenu ar Menzies hefyd. 'Dw i eisiau dweud pa mor falch dw i bod Chantelle wedi gwneud ffrindiau mor hyfryd.'

Mae hi'n edrych yn grac ar dad Menzies, yna mae hi'n codi ei llaw arnom i gyd ac yn ymuno â'r ciw sy'n aros i fynd ar hyd y twnnel ac i mewn i'r biben.

Dros bennau'r holl bobl sy'n cropian drwy'r biben, gallaf weld dau ddyn mawr cryf mewn festiau yn y blaen yn tynnu'r grât.

Maen nhw'n helpu tad Jamal i mewn i'r ganolfan gadw, yna maen nhw'n aros yno, yn barod i godi'r bobl yn y twnnel ar ei ôl. Neu i godi'r bobl yn y ganolfan gadw i lawr i mewn i'r twnnel.

Dw i'n dal fy ngwynt.

Drwy'r ffens gallaf weld criw o ffoaduriaid, dynion a menywod a phlant, yn rhuthro tuag at ymyl y twll lle roedd y grât.

Hefyd gallaf weld swyddogion mewn iwnifform yn arllwys allan o'r adeiladau.

Dw i'n cofio beth ddwedodd Gavin wrthyf am beryglon ceisio dianc a diflastod bywyd yn ffoi rhag yr heddlu.

Mae arfau gan bob un o'r swyddogion mewn iwnifform.

Prin dw i'n gallu edrych.

Ond dyw'r ffoaduriaid ddim yn ceisio gadael y ganolfan gadw.

Maen nhw'n sefyll a gwylio, gan wenu mewn rhyfeddod a llawenydd wrth i ni fynd i mewn a'u cofleidio.

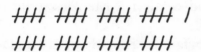

Mae nifer o'r newyddiadurwyr wedi dweud wrthyf nad oes dim byd tebyg i hyn wedi digwydd erioed o'r blaen mewn canolfan gadw yn Awstralia.

Gallaf gredu hynny.

Mae'n ddigon tebyg nad oes cymaint â hyn o gofleidio wedi digwydd yn unman yn Awstralia o'r blaen.

A does neb wedi cael ei restio, gan ein cynnwys ni. Mae'n rhaid bod y llywodraeth wedi penderfynu, gan fod cymaint o bobl y cyfryngau yma, a chymaint o bleidleiswyr, na fyddai trais a restio torfol yn edrych yn dda.

Mae Dad wedi helpu tipyn. Mae rhoi tylinwyr personol o Fwlgaria i'r swyddogion ac i'r ffoaduriaid wedi cadw'r awyrgylch yn ysgafn a chyfeillgar.

Mae'r cyfan wedi cael argraff fawr ar dad Menzies. Mae'n bwriadu ymddiswyddo o'r llywodraeth a sefyll fel person annibynnol yn yr etholiad nesaf a dw i'n meddwl ei fod eisiau i Dad ei helpu. Roedd e'n dweud nawr bod gweld yr holl bobl gyffredin yma o Awstralia'n cofleidio ac yn chwerthin gyda'r ffoaduriaid yn rhoi awgrym reit dda iddo sut mae llawer o bobl yn mynd i bleidleisio.

O'r diwedd cefais i a Menzies gyfle i gwrdd â Jamal a Bibi.

Roedd y cyfan yn emosiynol iawn. Doeddwn i erioed wedi gweld ffotograff ohonyn nhw ac eto gwyddwn mai nhw oedden nhw cyn gynted ag y gwelais nhw. Dw i'n meddwl bod hyn oherwydd y ffordd roedd Jamal yn cydbwyso pêl droed o fagiau plastig ar ei ben a'r ffordd y taflodd Bibi ei breichiau amdanaf a'm bwrw i'r llawr.

A llygaid Jamal hefyd.

Dw i erioed wedi gweld llygaid sy'n disgleirio cymaint â'i lygaid e. Am weddill fy mywyd, os bydd pethau'n mynd yn anodd, byddaf yn cofio ei bod hi'n dal yn bosibl i obeithio beth bynnag yw'r amgylchiadau.

Mae llygaid Bibi'n disgleirio tipyn hefyd, yn enwedig ar ôl i dad Menzies ddweud wrthi y bydd hi'n cael triniaeth i'w dannedd cyn hir. Mae e'n dal i fod yn aelod seneddol, felly gall drefnu pelydr X iddi ar sail ddyngarol.

Ac arbenigwr cluniau i Jamal.

Dw i a Menzies newydd ddechrau chwarae pêl-droed gyda Jamal a Bibi. Doedden nhw ddim wedi dechrau ymprydio, felly heblaw am y ffaith fod Jamal yn gloff, roedd y ddau'n ffit i chwarae.

Curon nhw ni o ddeunaw gôl i ddim, er bod

Menzies wedi gofyn i Dave chwarae ar ein hochr ni. Does dim gwahaniaeth, achos dysgon nhw i ni sut i wneud triciau gwych â'r bêl.

Rydyn ni wedi gadael Jamal a Bibi i gael ychydig o amser tawel gyda'u mam a'u tad. Mae Dave a Menzies a'i dad yn cwrdd â rhai o'r ffoaduriaid eraill. Gan fod Dad wrthi'n brysur yn rhoi tylinwyr personol i bawb, dw i'n cymryd y cyfle i gael eiliad dawel fy hunan.

Mae hi tua 11.40 y bore a dw i'n mynd i gyfeiriad y gorllewin ar hyd ochr fewnol ffens y ganolfan gadw, yn syllu allan ar y llif o geir a bysiau sy'n dal i gyrraedd, ac yn cynllunio llythyr pwysig iawn i Gavin.

Annwyl Gavin,

Diolch am fy annog gyda'r jobyn. Aeth popeth yn arbennig o dda ac fe ddysgais lawer.

Un o'r pethau dw i wedi'u dysgu yw bod pobl weithiau'n mynd i'r carchar am geisio gwneud pethau'n well i'r bobl maen nhw'n eu caru.

Dw i'n gwybod mai dyna roeddet ti'n wneud, Gavin, pan wnest ti ddwyn y cloc cwcw yna. Roeddet ti eisiau dangos i bobl ein bod ni'n deulu go iawn o droseddwyr fel na fydden nhw'n chwerthin am ben Dad y tu ôl i'w gefn. Wnest ti ddim sylweddoli bod Dad yn rhywun sy'n gwneud yr hyn mae e'n ei gredu sy'n iawn, dim ots beth yw barn pobl eraill. A Mam hefyd.

Dw i'n credu y byddi di'n deall hynny nawr, Gavin, a dw i'n credu y byddi di fel yna dy hunan ryw ddiwrnod ac y bydda i'n falch iawn ohonot ti.

Dw i eisiau bod fel yna hefyd. Dw i wedi penderfynu treulio fy mywyd yn ceisio gwneud pethau'n well, hyd yn oed os yw pobl yn chwerthin am fy mhen y tu ôl i'm cefn a hyd yn oed os bydd rhaid i mi fynd i garchar rywbryd.

Dw i wedi cwrdd â phobl nad ydyn nhw byth yn breuddwydio am wneud pethau'n well i bobl eraill, a dw i'n meddwl bod hynny'n hollol warthus.

Cariad,
(Dim ond pedwar deg naw niwrnod i fynd)
Bridget.